Recursos para estudiantes y docentes
campusdifusión

GENTE JOVEN 4

NUEVA EDICIÓN

CURSO DE ESPAÑOL PARA JÓVENES
CUADERNO DE EJERCICIOS

Encina Alonso Arija
Matilde Martínez Sallés

Gente joven Nueva edición 4
Cuaderno de ejercicios

Autoras
Encina Alonso Arija, Matilde Martínez Sallés

Coordinación editorial
Ainara Munt Ojanguren

Redacción
Roberto Castón, Ainara Munt Ojanguren

Corrección
Ana Escourido

Diseño y maquetación
Besada+Cukar, Elisenda Galindo

Ilustración
Javier Andrada (págs. 5 y 13), Oscar Domènech (págs. 9, 10 y 72), Enric Font (pág. 8), Man (págs. 18 y 43), David Revilla (pág. 42) y Martín Tognola (pág. 12).

Fotografías
Cubierta Gerard Kota 2014; **Unidad 1** pág. 6 Paulo Jorge Cruz/Fotolia.com (chicos), chagin/Fotolia.com (chicas); pág. 7 Dolgachov/Dreamstime.com; pág. 11 Ulianna19970/Dreamstime.com (chica maleta), Antonioguillem/Dreamstime.com (chica contenta), Sergey-Nivens/Fotolia.com (niños asustados), Antonioguillem/Dreamstime.com (chicos enfadado), yanlev/Dreamstime .com (chico preocupado); pág. 14 Ashestosky/Dreamstime.com; pág. 15 Drive Teatro y Espectáculos(Hoy...), David Ruano/Pentación Espectáculos (*El túnel*), Museo del Teatro de Almagro (*Fuenteovejuna*); **Unidad 2** pág. 17 Vician/Dreamstime.com; pág. 20 Xixinxing/Dreamstime (chico baloncesto), Franckito/Dreamstime (casa moderna), Beachboyx10/Dreamstime (cámara), Clearvista/Dreamstime (cereales); pág. 21 CNT AIT-Sevilla (manifestación), Gina Smith/Dreamstime (niños jugando); pág. 23 Anna Tatti (San Telmo), García Ortega (Ramblas), www.indi.es/Junta de Castilla y León ("Duele"); pág. 24 freepik.com; pág. 25 somartin/Dreamstime; pág. 27 Frank Kalero; pág. 28 Frank Kalero; **Unidad 3** pág. 30 García Ortega; pág. 31 García Ortega; pág. 33 García Ortega; pág. 34 icarmen13/Fotolia (chicas tableta), pág. 35 (de izquierda a derecha) Christian Fuenzalida/ sxc.hu, hidden/sxc.hu, Claudio Sepulveda/sxc.hu, Christian Fuenzalida/sxc.hu, Virginia Carrazzone; Raúl Díaz/Flickr (fondo), Lyuba Dimitrova, LADA film (Johanna), García Ortega (chicas saltando); pág. 36 García Ortega; pág. 38 Flávio Takemoto/sxc.hu (mundo), García Ortega (chica); **Unidad 4** pág. 41 fergregory/Fotolia Blancanieves, 41 Gino Santa Maria/Fotolia Cenicienta, 41 llhedgehogll/Fotolia Bella durmiente, 41 euthymia/Fotolia Pinocho, 41 trotalo/Fotolia Flautista, 41 Philcold/Dreamstime Aladino; pág. 42 hikolaj2/Fotolia; pág. 44 icarmen13/Fotolia; pág. 45 Creativa Images/Fotolia; pág. 47 Gino Santa Maria/Fotolia Cenicienta, llhedgehogll/Fotolia Bella durmiente, euthymia/Fotolia Pinocho, trotalo/Fotolia Flautista; pág. 48 Aurelio Scetta/Dreamstime; pág. 49 Rafael-Golan/WikimediaCommons; **Unidad 5** pág. 53 yurakp/Fotolia (humo fondo), ramzi hashisho/sxc.hu (chimenea); pág. 55 Pat Herman; pág. 56 Egal/Dreamstime; pág. 58 Yeuperng/Dreamstime; **Unidad 6** pág. 62 Frank Kalero; pág. 63 M. Disliz; pág. 64 anapeps/Flickr (mar), Atoss1/Dreamstime (ajo); pág. 65 Frank Kalero; pág. 68 ©Juan José Tablada: "Puñal", ©Joan Brossa: "Homenaje al libro", ©Nuria L. Ribalta: "Fugida", ©Franklin Fernández: "Escalera"; pág. 70 Sol Silvestre; **Aprendo lenguas** pág. 73 Gino Santa Maria/Fotolia (Cenicienta), llhedgehogll/Fotolia (Bella durmiente), euthymia/Fotolia (Pinocho), trotalo/Fotolia (Flautista).

Todas las fotografías de Flickr.com y Wikimedia Commons están sujetas a licencias de Creative Commons (Reconocimiento 2.0, 3.0 y 4.0).

Agradecimientos
Mario Alegre (indi.es), Jesús Cimarro y Elena Gómez (Pentación Espectáculos), María Escrig (Drive Teatro y Espectáculos), Alejandro Galán y Francisco Gallego (Junta de Castilla y León), Alicia y Adriana González, Olatz González y Save the Children, Laia Sant, Teresa del Pozo (Museo del Teatro de Almagro), Núria Ribalta, Pol Wagner.

IES Palau Ausit de Ripollet y a sus alumnos Yaheiry Aranza, Eduardo Benítez, Emerson Blanco, Cindy Casquete, Cristian Cumplido, Carlos Correa, Binta Diallo, Jia-Yi Fan, Estefania Fernández, Iván Genicio, Adrià Hernández, Fran Herrozo, Beatriz Jiménez, Cristian Lledó, Míriam López, Miguel Ángel Mancebo, Sara Medina, Clara Melenchón, Albert Miquel, Sergi Mompel, Montserrat, Eduardo Molina, Manuel Mora, Marc Moratona, Leidy Murillo, Sara Navarrete, Alba Pampín, Nora Parralejo, Joshue Peregrina, Anna Pérez, Daniel Pérez, Marta Pi, Sheila Pico, Álex Portillo, Onofre Pouplana, Berenice Puntillo, Iván Requena, Marta Sáez, Juan Carlos Salamanca, Alberto Torralba, Carlos Torrejón, Elena Villanueva y Lorena Varo.

Queda prohibida cualquier forma de reproducción, distribución, comunicación pública y transformación de esta obra sin contar con autorización de los titulares de propiedad intelectual. La infracción de los derechos mencionados puede ser constitutiva de delito contra la propiedad intelectual (arts. 270 y ss. Código Penal).

© Las autoras y Difusión, S.L. Barcelona 2016
ISBN: 978-84-16057-22-1
Reimpresión: abril 2024
Impreso en la UE

difusión
Centro de Investigación y Publicaciones de Idiomas, S. L.

C/ Trafalgar, 10, entlo. 1ª
08010 Barcelona
Tel. (+34) 93 268 03 00
Fax (+34) 93 310 33 40
editorial@difusion.com

www.difusion.com

FSC MIXTO
Papel procedente de fuentes responsables
FSC® C125125

¿CÓMO ES ESTE CUADERNO DE EJERCICIOS?

Chicos, chicas... ¡bienvenidos y bienvenidas al mundo del español!

El **Cuaderno de ejercicios** de *Gente joven Nueva edición* es un complemento del **Libro del alumno** que estás trabajando en clase con tus compañeros y con tu profesor. El **Cuaderno** te permitirá trabajar a tu ritmo y de forma más personalizada, pues ya sabes que cada persona tiene distintas capacidades y necesita un ritmo y un tiempo distinto de entrenamiento para aprender.

Este **Cuaderno de ejercicios** se estructura en seis unidades que corresponden a las del **Libro del alumno**. Cada una de las unidades consta de varias secciones:

Descubro, observo y uso. Entre 5 y 7 páginas donde encontrarás ejercicios que complementan y siguen de forma paralela las propuestas del **Libro del alumno**. Con ellos podrás observar, descubrir y practicar con detenimiento las estructuras y la gramática que aparecen en la unidad.

Practico mi vocabulario. Aquí, de una forma personalizada, creativa y lúdica, podrás recoger el vocabulario que has aprendido en la unidad y aprenderás distintas formas de memorizarlo y practicarlo.

Leo, escribo y escucho. Dos páginas que ponen especial atención en aquellas competencias con las que se puede trabajar de forma autónoma: la comprensión escrita, la expresión escrita y la comprensión oral. Para estas últimas actividades vas a necesitar las pistas de audio (disponibles en campus.difusion.com o descargables gratuitamente en difusion.com/gjne4_audio).

Yo y mis cosas. Una sección que te permitirá expresar en español tu mundo personal. Escribirás sobre tus amigos, tus anécdotas, tus viajes, tus juegos favoritos...

El **Cuaderno de ejercicios** incluye, además, la sección **Aprendo lenguas** al final del libro. En esta sección tendrás la posibilidad de reflexionar sobre tu forma de aprender lenguas, siempre siguiendo las pautas del Marco común europeo de referencia para las lenguas.

Con este **Cuaderno** irás viendo tu progreso y te irás dando cuenta de aquellos puntos en los que necesitas más reflexión o más práctica.

¡Suerte!

Las autoras

ÍNDICE

Pistas de audio disponibles en campus.difusion.com o descargables gratuitamente en difusion.com/gjne4_audio.

1 ¿Quién tiene razón? 5

Descubro, observo y uso 5
1. Definiciones de palabras
2. Buscar diferencias entre un texto y una imagen
3. Elegir entre **ser** y **estar**
4. Adverbios: **despacio, sin prisas, silenciosamente**...
5. Completar tabla y frases con el gerundio
6. Perífrasis verbales: **acabar de, estar a punto de**...
7. Verbos y pronombres reflexivos
8. Describir una secuencia con verbos reflexivos y perífrasis: **seguir** + gerundio, **volver** + infinitivo...
9. Describir a un actor antes y después de disfrazarse
10. Describir cómo van vestidos dos chicos disfrazados
11. Describirse a sí mismo/a disfrazado/a
12. Describir estados de ánimo
13. Relacionar frases con diálogos escritos
14. Escoger tres frases con las que se concuerda y razonar la elección

Practico mi vocabulario 13
🎧 **Leo, escribo y escucho** 14
Yo y mis cosas 16

2 Nuestro mundo 17

Descubro, observo y uso 17
1. Escribir cuatro eslóganes para cambiar el mundo y explicarlos
2. Relacionar derechos con su explicación
3. Verbo **deber**
4. Escribir frases con **(no) debería**
5. **Tan, tanta, tanto, tantos, muy, mucho**
6. Subordinadas con presente de subjuntivo
7. Expresar valoración
8. Describir los problemas del propio país
9. Describir cuatro ONG de jóvenes
10. Clasificar una lista de problemas en orden de importancia. Completar la lista

Practico mi vocabulario 24
🎧 **Leo, escribo y escucho** 25
Yo y mis cosas 28

3 Se buscan candidatos 29

Descubro, observo y uso 29
1. Características de un buen candidato, un buen CV y una buena entrevista
2. Relacionar fotos con descripciones de carácter. Adjetivos de carácter
3. Test "¿Cómo trabajas?"
4. Presente de subjuntivo de algunos verbos irregulares
5. Completar un párrafo con presente de subjuntivo
6. Hacer una lista de cosas que le gustaría cambiar
7. Escribir demandas: **se** impersonal
8. 🎧 Completar un CV escuchando una entrevista
9. Imperativo afirmativo o negativo
10. Escribir tres diálogos entre dos amigas que miran algunos anuncios de trabajo
11. Pronombre **se**
12. Leer una convocatoria y escribir un *e-mail* de solicitud
13. **Para** + infinitivo / **Para que** + subjuntivo
14. Completar una carta de motivación

Practico mi vocabulario 37
🎧 **Leo, escribo y escucho** 38
Yo y mis cosas 40

4 Cuéntame un cuento 41

Descubro, observo y uso 41
1. Relacionar fragmentos con títulos de cuentos
2. Transformar estilo directo en indirecto
3. **Al** + infinitivo
4. Rellenar los globos de un cómic, creando una historia
5. Completar un cuento con unas frases dadas
6. Estilo directo e indirecto en primera persona
7. Máquina de fabricar cuentos

Practico mi vocabulario 47
🎧 **Leo, escribo y escucho** 48
Yo y mis cosas 50

5 Hablar bien, escribir bien 51

Descubro, observo y uso 51
1. Completar definiciones de palabras contrarias
2. Diferentes formas de referirse a la misma palabra
3. Misma idea escrita de formas diferentes
4. Escribir dos textos sobre el aire y la contaminación atmosférica
5. Escribir una breve historia de tres inventos del s. XXI
6. 🎧 Rellenar una ficha de información del aguacate escuchando una grabación
7. **Para** o **por**
8. 🎧 Rellenar un texto de información de la quinoa escuchando una grabación
9. Conectores: **además, aunque, por tanto, sin embargo, por otra parte**...

Practico mi vocabulario 57
🎧 **Leo, escribo y escucho** 58
Yo y mis cosas 60

6 Poesía eres tú 61

Descubro, observo y uso 61
1. Leer unos poemas y decir cuál le gusta
2. 🎧 Escuchar recitados dos poemas y decidir a cuál de ellos pertenecen unas afirmaciones
3. Marcar la rima en tres poemas y clasificarla
4. Buscar palabras que rimen con unas ya dadas
5. Responder a unas preguntas referentes a unos poemas
6. Sílaba tónica: agudas, llanas, esdrújulas
7. Poner tilde a las palabras que lo necesiten

Practico mi vocabulario 66
🎧 **Leo, escribo y escucho** 67
Yo y mis cosas 70

Aprendo lenguas 71

Recursos para estudiantes y docentes

campusdifusión

unidad 1 ¿QUIÉN TIENE RAZÓN?

1 Busca en los tres textos de la familia Delgado (páginas 12 y 13 del Libro del alumno) las palabras que corresponden a estas definiciones.

a. Que está obligado a hacer alguna tarea desagradable por haber tenido un mal comportamiento: ....

b. Ropa para dormir: ....

c. No tener la puntuación necesaria para pasar un examen: ....

d. Hablar con una persona que está triste o preocupada para animarla: ....

e. Extensión geográfica que abarcan los servicios de telecomunicaciones: ....

f. Sin hacer ruido: ....

g. Saquito de tela cosido a algunas prendas de ropa para guardar pequeños objetos: ....

h. Mueble en el que se ponen libros u otros objetos: ....

i. Habitación en la que se come: ....

j. Que no está de pie ni tumbado: ....

2 Lee atentamente la descripción de esta escena. Escribe todas las diferencias que encuentres entre el texto y la imagen.

El decorado representa una habitación de un chico joven. Al fondo, en el centro, se ve una cama, muy ordenada, y una mesita de noche sobre la que hay una pequeña lámpara y unos cuantos libros.
Delante de la cama está el armario, en el que hay ropa colgada. Encima del armario hay cajas de zapatos. También hay unos esquís.
A la derecha del armario está la puerta, cerrada. Detrás de la puerta hay un póster con la foto de un grupo musical. Entre el armario y la puerta hay muchas fotos y postales.
A la izquierda hay una mesa de trabajo con un ordenador portátil cerrado, unos auriculares, cuatro libros y algunas hojas de papel.
En la pared, a la izquierda, hay un reloj y, al lado, una planta.
En el centro de la habitación hay dos chicos tumbados en el suelo escuchando música.

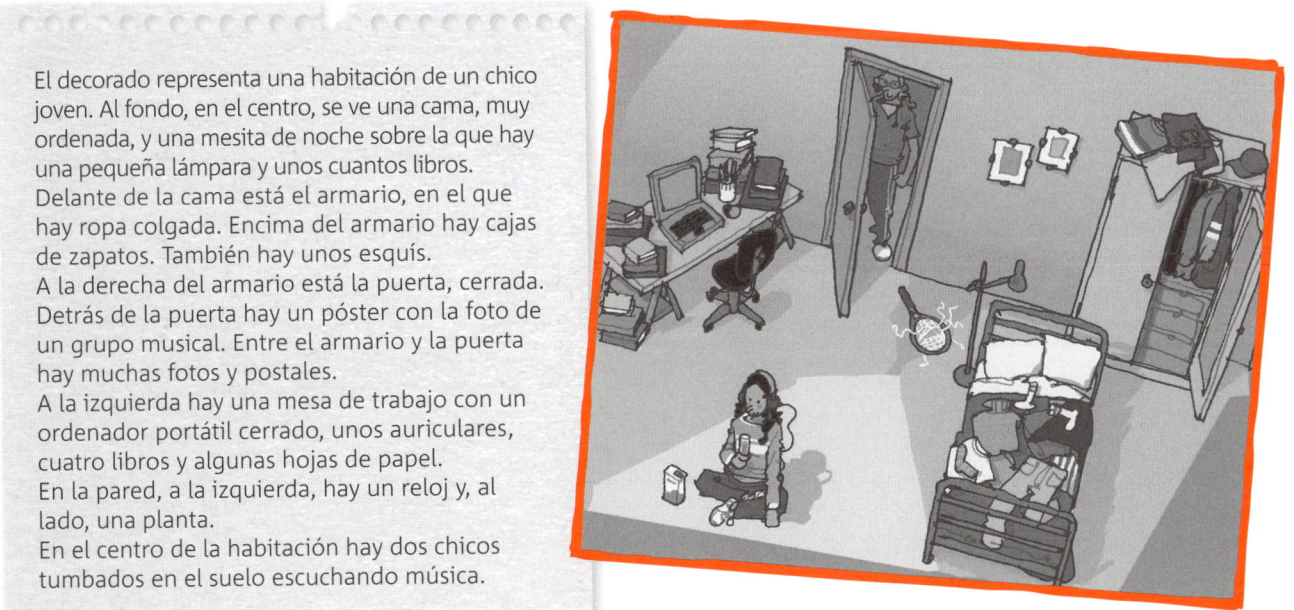

La cama no está en el centro de la habitación, está a la derecha.
La cama no está ordenada, está desordenada.

1 DESCUBRO, OBSERVO Y USO

3 Lee lo que le pasa a Alberto y tacha el verbo que no corresponda.

Eran / Estaban las nueve de la noche cuando Alberto llegó a casa. **Era / Estaba** muy cansado y se sentó en el sofá. Había **sido / estado** jugando al fútbol y con el calor que hacía **era / estaba** agotado. Él **era / estaba** muy deportista pero el partido de ese día había **sido / estado** especialmente intenso. **Era / Estaba** muy contento porque su equipo había ganado. Él había marcado dos goles. Y Pablo, que **era / estaba** su mejor amigo, había marcado el tercero. Los dos **eran / estaban** de muy buen humor. Todavía **era / estaba** vestido con la ropa de deporte porque quería descansar un poco antes de ducharse. Entonces, en ese momento de relax, Alberto empezó a pensar en Adriana... **Era / Estaba** tan inteligente, tan simpática y siempre **era / estaba** tan guapa... Pero... ¿por qué tenía que **ser / estar** enamorada de su mejor amigo? Y lo peor: los tres **eran / estaban** muy amigos y **eran / estaban** juntos en la misma clase... Si **fuera / estuviera** un poco más valiente, hablaría con ella y le contaría la verdad. Se levantó, buscó el teléfono y pensó: "Ahora mismo voy a hablar con ella y se lo contaré todo... Y luego hablaré con Pablo. **Es / Está** la mejor solución." Pero al momento se arrepintió: "¿Y si por mi culpa dejamos de **ser / estar** amigos?"

4 ¿Puedes completar estas frases con las palabras de la lista? Elige el adverbio o la expresión más lógica para cada frase.

despacio   tranquilamente   inmediatamente   con prisas   sin prisas   silenciosamente

Empezó el incendio y los bomberos llegaron ....

Cuando hay fuego, hay que salir del edificio .... Si la gente se pone nerviosa, es muy peligroso.

Conduce un poco más .... , por favor, que me estoy mareando.

Los ladrones entraron tan .... que los perros no los oyeron.

Hice la cena .... Por eso me salió fatal.

Tenemos mucho tiempo. Podemos ir paseando, ... , hasta el teatro.

DESCUBRO, OBSERVO Y USO 1

5 **A.** Completa esta tabla.

INFINITIVO	GERUNDIO
dormir	....
....	yendo
decir	....
....	riendo
pedir	....
....	leyendo
....	comiendo
salir	....
hacer	....
explicar	....
llorar	....
gritar	....

B. Ahora, completa estas frases con algunos de los gerundios de la lista anterior.

1. Cuando Nico llegó a su casa, sus padres ya estaban .... y no pudo hablar con ellos.
2. Estoy .... un libro muy interesante sobre el teatro de Lorca.
3. Ya estábamos .... de casa cuando sonó el teléfono. Era Nerea, que nos dijo que no podía ir a la excursión con nosotros.
4. ¿Qué estáis ....? Parece muy bueno… ¿Puedo probarlo?
5. ¿Me entiendes o no? Te estoy .... que tengo un problema. Y te estoy .... ayuda.
6. Cristian fue a ver una película muy divertida y se pasó casi todo el rato ....
7. Estábamos .... al cine, cuando vimos el accidente.
8. Salió de casa .... y .... Estaba muy enfadado y triste.

6 Cambia las expresiones subrayadas por las perífrasis verbales que has aprendido. Haz las transformaciones necesarias.

> dejar de   estar a punto de   acabar de   ponerse a   seguir

¿Puedes hacer la pregunta otra vez? → *¿Puedes volver a hacer la pregunta?*

a. En este mismo momento ha llamado Carlos.
....

b. Yo todavía juego al fútbol.
....

c. Este niño va a empezar a llorar de un momento a otro.
....

d. María no comió más patatas fritas porque le dolía el estómago.
....

e. Cuando vio a su novio disfrazado de ratón para el carnaval, Margarita empezó a reír.
....

siete **7**

1 DESCUBRO, OBSERVO Y USO

7 Añade los pronombres reflexivos a los verbos de las frases siguientes y escribe el infinitivo.

> El portero se puso de rodillas y paró el penalti. El resto de jugadores se quedaron inmóviles ante la jugada. (Ponerse), (quedarse).

1
- ¿Por qué .... habéis quedado en casa con el buen tiempo que hace? (................).
- Es que ayer estábamos muy cansados y .... fuimos a la cama pronto, y hoy también .... hemos levantado pronto para estudiar. (................), (................).

2
- Y en esta escena, ¿qué hago? ¿......... quedo sentada o .... pongo de pie? (................), (................).
- Déjame ver… Martín entra, ... acerca a ti y tú…, pues tú .... levantas y .... alejas de él. (................), (................), (................).

3
- ¿A qué hora .... acuestan los adolescentes en España? (................).
- Creo que no .... van a la cama antes de las diez. (................).

8 Describe la secuencia de lo que hace este personaje de cómic usando verbos o construcciones como **sentarse, levantarse, tumbarse, ponerse…, estar…, quedarse** + participio, **seguir** + gerundio, **volver a** + infinitivo.

Está de pie en el parque y luego se sienta…

DESCUBRO, OBSERVO Y USO 1

9 Este actor se ha vestido para actuar en una obra de teatro. ¿Cuáles son las diferencias entre su aspecto normal y ahora que está disfrazado? Escríbelas usando: **ponerse, quitarse, llevar, cambiarse de, pintarse**...

Antes

El chico llevaba zapatillas de deporte...

Ahora

Se ha puesto unas botas altas...

1 DESCUBRO, OBSERVO Y USO

10 Estos chicos tienen que disfrazarse para representar dos papeles en una obra de teatro del colegio. Describe cómo van vestidos. Luego, inventa un nombre y una personalidad para cada uno de los personajes.

Moisés lleva ....
....
....
....
....
....
....

Va disfrazado de ....
....

Es un hombre de unos ....
años. Es bastante ....
....
....

Diana lleva ....
....
....
....
....
....
....

Va disfrazada de ....
....

Es una mujer de unos ....
años. Es muy ....
....
....

10 diez

DESCUBRO, OBSERVO Y USO 1

11 ¿Te has disfrazado alguna vez? Pega una foto tuya disfrazado y describe cómo ibas vestido, y por qué te disfrazaste (carnaval, obra de teatro, fiesta...). Si no tienes fotos tuyas, recorta alguna de una revista o haz un dibujo y descríbelo.

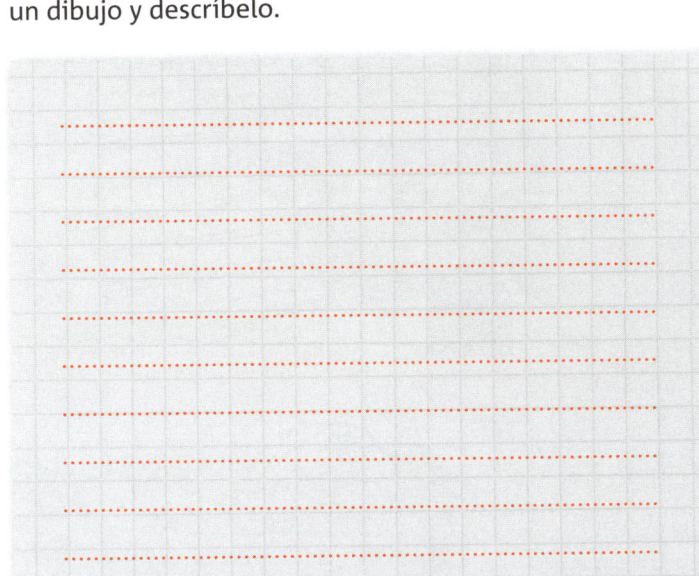

12 Observa las siguientes fotos. Describe el estado de ánimo de los protagonistas e inventa un nombre para cada uno y una razón por la que están así.

asustado/a; estresado/a; contento/a; preocupado/a; enfadado/a

once

1 DESCUBRO, OBSERVO Y USO

13 Vuelve a leer los diálogos de la página 16 del Libro del alumno. ¿A cuál de ellos corresponden estas frases?

a. La mujer no quiere ir con prisas: ....
b. El chico ha traído malas notas a casa: ....
c. El chico le ha cogido el mando a su hermana: ....
d. El chico pide permiso para salir con sus amigos: ....
e. El chico piensa que su hermana es muy egoísta: ....
f. El hombre piensa que tienen mucho tiempo: ....
g. La mujer está nerviosa y enfadada: ....

14 ¿Es necesario el castigo en la escuela? Escoge tres frases con las que estés de acuerdo y explica por qué.

1. Nunca emplear la violencia física en un castigo.
2. Utilizar el castigo inmediatamente después de la falta.
3. Explicar siempre el porqué del castigo.
4. Buscar un castigo relacionado directamente con la falta.
5. El castigo nunca puede ridiculizar a la persona.
6. El niño debe saber muy bien los límites y que hay un castigo si estos se rebasan.
7. El castigo debe ser la última opción. Antes hay que intentar usar otros medios.
8. No utilizar el castigo muy frecuentemente. Pierde efecto.

PRACTICO MI VOCABULARIO 1

1 **A.** Relaciona los elementos de las dos columnas. Hay varias opciones.

1. Un bastón
2. Una cartera
3. Un vestido
4. Una barba
5. Un collar
6. Una camisa
7. Unos zapatos
8. Unas chancletas

a. ..... de tacón
b. ..... estampado
c. ..... de piel marrón
d. ..... de cuadros
e. ..... postiza
f. ..... de plástico
g. ..... de madera
h. ..... de perlas

B. Ahora, haz todas las combinaciones posibles y añade dos más a cada sustantivo.

Unos pantalones

Un vestido

Unas botas

- negras
- altas
- largo
- de plástico
- cortos de piel
- de flores
- de invierno
- de fiesta
- de lluvia
- largos
- estampado
- de esquí
- deportiva
- de cuadros
- roja
- de verano
- gris
- vaqueros
- vieja

Una gorra

trece 13

1 LEO, ESCRIBO Y ESCUCHO

1 Lee este texto informativo y di si estas frases son verdaderas o falsas. Después compara tus respuestas con las de un compañero y discutid las diferencias, si las hay.

¿Qué es el teatro?

Para Aristóteles, el teatro es una imitación de la realidad. Aunque todas las formas de arte, en mayor o menor medida, imitan aspectos del mundo real, el teatro se preocupa sobre todo por imitar las *acciones* de los seres humanos.

Recomendaciones para la lectura de una obra de teatro

Una obra de teatro no se lee de la misma forma que una novela o un cuento. El secreto para disfrutar del teatro como forma literaria consiste en imaginar que lo que lees está ocurriendo en un escenario delante de ti. Por eso, debes *imaginar* a los actores en escena. También debes tratar de *visualizar* tanto las acciones de los personajes como los decorados.

Los siguientes consejos te ayudarán a convertirte en un buen lector de teatro:

- **Lee en voz alta:** porque las obras de teatro han sido escritas para ser escuchadas. Leer obras de teatro en grupo puede ser muy divertido si distribuyes los personajes entre tus amigos.

- **Lee toda la obra de una vez:** la lectura de una obra de teatro te llevará aproximadamente el mismo tiempo que su representación en un teatro. Es decir, dos o tres horas. De este modo, te resultará más fácil visualizar todo lo narrado.

- **Ten en cuenta dos conceptos básicos:**

– **Descripciones:** los dramaturgos siempre "pintan" los decorados mediante descripciones de lo que se ve en la escena. Te cuentan cómo son los espacios, qué objetos se encuentran allí, cómo están distribuidos esos objetos, etc.

– **Acotaciones:** en las obras teatrales siempre hay acotaciones —notas entre paréntesis—. Su función es describir los movimientos y los gestos de los personajes, así como los estados de ánimo.

El teatro funciona como un espejo de la vida misma.

(Adaptado de: http://espanolsinmisterios.blogspot.de/2012/01/como-leer-obras-de-teatro.html)

	V	F
a. El teatro es una representación de la vida.		
b. La lectura de una obra de teatro es igual que la de cualquier otra obra literaria.		
c. Al leer una obra de teatro cada personaje debería ser una persona diferente.		
d. El problema con la lectura de las obras de teatro es que son demasiado largas.		
e. En las obras de teatro no hay descripciones, las tienes que imaginar tú.		
f. Las acotaciones ayudan a entender los sentimientos de los personajes.		

LEO, ESCRIBO Y ESCUCHO 1

2 ¿Cuál de estas obras de teatro te gustaría ver? ¿Por qué? Escríbelo en el recuadro de abajo.

Hoy no me puedo levantar

Director: NACHO CANO
Libreto: DAVID SERRANO

Es un musical con las canciones de más éxito del grupo Mecano, interpretadas por más de cuarenta actores. La historia transcurre en el Madrid de los años ochenta, en plena "movida madrileña".

Nacho Cano es un cantante y compositor español; formó parte del grupo Mecano, junto a Ana Torroja y José María Cano.

El túnel

Director: DANIEL VERONESE
Texto: ERNESTO SÁBATO

Basada en la novela de Ernesto Sábato, es la historia de un pintor que, desde la cárcel, cuenta cómo llegó a matar a la única mujer que le había importado.

Ernesto Sábato es un escritor y ensayista argentino. Daniel Veronese es un director y actor argentino.

Fuenteovejuna

DE LOPE DE VEGA

Esta obra del teatro clásico español cuenta la historia de un pueblo que, unido, se rebela contra su tirano, el Comendador, hasta matarlo. Cuando los vecinos son encarcelados, todos se declaran culpables y el rey, conmovido por este acto, perdona al pueblo.

Lope de Vega fue uno de los escritores más importantes del Siglo de Oro español.

....
....

3 ¿Escucha este diálogo y completa la tabla.

Pista 16

	MADRE	HIJA	HERMANO
a. Habla mucho por teléfono.			
b. Tiene que recoger la mesa.			
c. Ha puesto la mesa.			
d. Escucha la conversación de teléfono.			
e. Tiene que entregar un proyecto.			
f. Está enfadado/a.			

quince 15

1 YO Y MIS COSAS

1 Termina estas frases con tus sentimientos para hacer tu retrato afectivo. Después, anota cómo eres y cómo te sientes hoy.

¡Yo soy así!

Me da mucha rabia que...

Lo que más me molesta es que...

No soporto que...

Me gusta que...

Me gusta muchísimo que...

Me encanta que...

Me encantan los / las...

Lo que más feliz me hace es que...

Me pone/n nervioso/a el / la / los / las...

Me pone nervioso/a que...

Soy muy...

Hoy estoy muy...

Soy un poco...

Hoy estoy un poco...

No soy nada...

Hoy no estoy nada...

FOTO

unidad 2 NUESTRO MUNDO

1 **A.** Escribe cuatro eslóganes para cambiar cosas del mundo actual que no te gustan.

1. ....
2. ....
3. ....
4. ....

B. Ahora rellena estas tablas explicando tus propios eslóganes.

1 ¿Por qué? ¿Para qué?
....

2 ¿Por qué? ¿Para qué?
....

3 ¿Por qué? ¿Para qué?
....

4 ¿Por qué? ¿Para qué?
....

2 DESCUBRO, OBSERVO Y USO

2 Completa este documento sobre los derechos de los estudiantes de secundaria en España. Debes elegir el título de cada párrafo y escribirlo en el lugar correspondiente. ¡Cuidado, hay un título de más! Redacta tú el derecho que le corresponde.

¡Tenemos derecho a opinar! ¡Y a jugar! ¡Todos y todas!

DERECHOS

- DERECHO AL RESPETO FÍSICO Y MORAL
- DERECHO A LA NO DISCRIMINACIÓN
- DERECHO A LA LIBERTAD IDEOLÓGICA
- DERECHO A LA FORMACIÓN
- DERECHO A RECIBIR AYUDA MATERIAL ECONÓMICA
- DERECHO A LA LIBERTAD DE EXPRESIÓN
- DERECHO A LA INFORMACIÓN
- DERECHO A LA ELECCIÓN DE REPRESENTANTES
- DERECHO A LA EVALUACIÓN OBJETIVA
- DERECHO A LA UTILIZACIÓN DEL CENTRO ESCOLAR CON FINALIDADES EDUCATIVAS
- DERECHO A LA ORIENTACIÓN PROFESIONAL Y ESCOLAR
- DERECHO A LA PARTICIPACIÓN

Derecho a la formación

a. Los alumnos tienen derecho a recibir una formación que asegure el pleno desarrollo de su personalidad.

b. Los alumnos tienen derecho a no ser discriminados por circunstancias personales o sociales.

c. Los alumnos tienen derecho a ser evaluados con pruebas objetivas.

d. Los alumnos tienen derecho a ser orientados para elegir las mejores opciones para su futuro escolar y profesional.

e. Los alumnos deben ser respetados en su libertad de conciencia y de sus creencias religiosas, morales o ideológicas.

f. Los alumnos deben ser respetados en su integridad física y moral y en su dignidad personal.

g. Los alumnos tienen derecho a participar en el funcionamiento y en la vida del centro.

h. Los alumnos tienen derecho a estar informados de los aspectos educativos que les afectan.

i. Los alumnos tienen derecho a elegir, mediante sufragio directo y secreto, a sus representantes.

j. Los alumnos tienen derecho a expresarse libremente sin perjuicio de los derechos del resto de los miembros de la comunidad educativa y de las instituciones.

k. Los alumnos tienen derecho a recibir ayudas del gobierno si, por razones económicas, no pueden cursar sus estudios convenientemente.

l. ....

DESCUBRO, OBSERVO Y USO 2

3 Completa, con las formas afirmativas o negativas del verbo **deber**, la siguiente lista de obligaciones y deberes de los alumnos y de los profesores de secundaria.

1. Los alumnos .... asistir a clase con puntualidad.
2. Los alumnos .... distraer innecesariamente la atención de sus compañeros durante las horas de clase.
3. Los alumnos .... mostrar respeto a los profesores.
4. Los profesores .... ofrecer a los alumnos todo tipo de explicaciones e informaciones acerca de sus materias.
5. Los profesores .... discriminar a ningún alumno en razón de su sexo, su cultura o sus creencias religiosas.
6. Los profesores .... faltar al respeto a los alumnos.

4 Escribe tres cosas que un alumno de tu colegio debería hacer y otras tres que no debería hacer.

diecinueve 19

2 DESCUBRO, OBSERVO Y USO

5 Completa los textos con las palabras de la lista.

tan   muy   tanta
tanto   tantos   mucho

1. ● Felipe, mi novio, mide casi 2 metros.
   ○ ¿............? Es altísimo.

2. ¡Qué casa .... bonita!

3. ● A tu hermana hace .... tiempo que no la veo.
   ○ No hace .... La viste en mi fiesta de cumpleaños.

4. ● Paula está delgadísima.
   ○ No, no .... ; gasta una talla 40.

5. Se acercó .... lentamente hacia la puerta y la abrió con .... cuidado.

6. ● A la fiesta del instituto fueron al menos 100 personas.
   ○ Pues para .... gente casi no habría sitio, ¿no?
   ■ Bueno, la sala era .... grande.

7. ¿1000 euros? Es .... dinero para una cámara de fotos, ¿no?

8. ● Me encantan estas galletas.
   ○ Pues a mí no .... Son demasiado dulces.

9. ● Voy a comprar cinco paquetes de cereales.
   ○ ¡No compres .... ! En casa hay dos paquetes.

DESCUBRO, OBSERVO Y USO 2

6 Completa las frases con la forma adecuada de los verbos entre paréntesis.

Me parece justo que los trabajadores que están en huelga no .... (**cobrar**) parte de su salario.

Creemos que es horrible que en muchos países no .... (**existir**) el derecho a la huelga.

Me parece fundamental que en nuestro país los chicos y las chicas .... (**poder**) ir a la escuela de manera gratuita.

Es injusto que los niños y niñas de muchos países .... (**tener**) que pagar por ir a la escuela.

Es lógico que el Gobierno de un país .... (**preocuparse**) por la educación y el trabajo de todos sus habitantes.

7 Valora estas conclusiones del informe de Unicef que hay en la página 29 del Libro del alumno.

1. 17 000 niños menores de 5 años mueren todos los días por causas que se pueden evitar.
   Me parece .... que ....

2. El número de muertes de niños menores de cinco años ha disminuido a la mitad entre 1990 y 2013.
   ....

3. Actualmente 81 de cada 100 niños están matriculados en la escuela primaria.
   ....

4. Alrededor del mundo, apenas un 64 % de los niños y un 61 % de las niñas en edad escolar están matriculados en la escuela secundaria.
   ....

5. Un 15 % de los niños del mundo está trabajando.
   ....

6. Un 11 % de las niñas se casan antes de cumplir 15 años.
   ....

veintiuno 21

2 DESCUBRO, OBSERVO Y USO

8 ¿Qué sabes tú de tu país? ¿Sabes si es un país rico o pobre? ¿Hay muchas desigualdades? ¿Cuáles son los problemas más importantes?

En mi país...

9 Busca en internet cuatro ONG de jóvenes en tu país. Describe lo que hacen y pega o dibuja sus logos.

Nombre ONG:
¿Quiénes somos?
¿Qué hacemos?
LOGO

Nombre ONG:
¿Quiénes somos?
¿Qué hacemos?
LOGO

Nombre ONG:
¿Quiénes somos?
¿Qué hacemos?
LOGO

Nombre ONG:
¿Quiénes somos?
¿Qué hacemos?
LOGO

DESCUBRO, OBSERVO Y USO 2

10 Clasifica esta lista de problemas por orden de importancia, según tu punto de vista. ¿Falta algún problema que tú creas importante? Explícalo.

.... Las personas con movilidad reducida están discriminadas y no tienen las mismas oportunidades que los demás ciudadanos.

.... La sociedad es machista a pesar de las leyes a favor de la igualdad entre mujeres y hombres.

.... La capa de ozono disminuye año tras año y eso tiene consecuencias peligrosas para el medioambiente.

.... En los colegios hay muchos casos de acoso escolar.

.... Los precios de los productos del campo aumentan sin parar; sin embargo, las ganancias de los campesinos son cada vez menores.

.... Cada día hay más gente que emigra para encontrar trabajo fuera de su país.

.... En las sociedades modernas, los ancianos están marginados.

....

....

veintitrés 23

2 PRACTICO MI VOCABULARIO

1 Completa esta tabla con las palabras que han salido en la unidad. En la columna de la derecha tienes que escribir una frase utilizando una de las palabras (puedes copiar la frase de la unidad o inventarla). Después, añade tú dos palabras más.

NOMBRE	VERBO	FRASE
la discriminación	discriminar	En muchos países, las mujeres están discriminadas.
la opinión		
la protección		
la participación		
		Hay que terminar con la matanza de focas.
la diversión		
	torturar	
el comercio		
	agredir	
el trabajo		
	manipular	Muchos políticos intentan manipular a los votantes.
el consumo		
el reciclaje		
	recuperar	
la alimentación		
	producir	
la ayuda		
el diálogo		El diálogo es una herramienta para cambiar el mundo.
	comunicar	
		¡No critiques las costumbres sin conocerlas!
	informarse	

2 Utiliza el vocabulario de la tabla anterior para escribir un breve texto con este título.

COSAS QUE PUEDO HACER PARA MEJORAR EL MUNDO

LEO, ESCRIBO Y ESCUCHO 2

1 Lee este texto informativo y di si las frases del recuadro son verdaderas o falsas. Después compara tus respuestas con las de un compañero y discutid las diferencias, si las hay.

Voluntarios de las Naciones Unidas

El programa de Voluntarios de las Naciones Unidas (VNU) es la organización de la ONU que promueve el voluntariado para favorecer la paz y el desarrollo en todo el mundo. El voluntariado puede transformar el ritmo y la naturaleza del desarrollo, y beneficia tanto al conjunto de la sociedad como a los voluntarios.

Cada uno puede aportar su tiempo, sus conocimientos y su experiencia mediante actividades voluntarias, y la combinación de todos los esfuerzos puede contribuir de forma decisiva a lograr la paz y el desarrollo.

El voluntariado supone a menudo un desafío, pero significa también adquirir nuevos conocimientos, realizar actividades gratificantes y comprender mejor los problemas a los que se enfrentan los demás.

Para ser voluntario de las Naciones Unidas se requiere un firme compromiso con los siguientes valores, además de las cualificaciones profesionales especificadas a continuación:

Valores y compromiso

* Un firme compromiso con los valores y principios del voluntariado.
* Capacidad para trabajar en un entorno multicultural.
* Capacidad para adaptarse a condiciones de vida difíciles.
* Habilidades interpersonales y capacidad de organización.
* Se valorará experiencia previa de voluntariado y/o experiencia profesional en un país en desarrollo.

Cualificaciones profesionales

* Un título universitario o de técnico superior.
* Varios años de experiencia laboral pertinente.
* Haber cumplido los 25 años de edad en el momento de empezar la asignación (no hay límite superior de edad).
* Nivel alto de, como mínimo, uno de los tres idiomas de trabajo del programa VNU: inglés, francés y español.

Fuente: http://www.unv.org/es/ser-voluntario.html

	V	F
a. El voluntariado se realiza en países industrializados.		
b. Su objetivo es la paz y el desarrollo en todo el mundo.		
c. Para ser VNU se valora la capacidad de convivir con otras culturas.		
d. Para ser VNU hay que saber tres idiomas.		
e. Para ser VNU hay que ser mayor de edad.		

2. LEO, ESCRIBO Y ESCUCHO

2 Escribe una pequeña noticia para estos titulares.

EL PRESIDENTE SE REÚNE CON REPRESENTANTES DE ESTUDIANTES PARA ESCUCHAR SUS PROBLEMAS

PECES EN VÍAS DE EXTINCIÓN POR EL MERCURIO

NIÑA DE OCHO AÑOS VENDE MILES DE COPIAS DE SU LIBRO *PAPÁ, MAMÁ, ¿DÓNDE ESTÁIS?*

NUEVA CAMPAÑA DE DEPORTISTAS CONTRA EL RACISMO

LEO, ESCRIBO Y ESCUCHO 2

3 A. Escucha a estas chicas que hablan sobre los problemas de sus países y señala qué chica ha dicho cada una de las frases siguientes.

Pistas 57-59

1 → Patricia
2 ← Berenice
3 → Eva

Últimamente muchos inmigrantes llegan hasta nuestras fronteras y esta situación hace que la sociedad sienta desprecio y rechazo hacia ellos.
....

La mayoría de la gente no llega a final de mes.
....

Creo que el gobierno tendría que cambiar las cosas y dar oportunidades a la gente.
....

Otro problema es la discriminación hacia la mujer.
....

Se debería invertir más en educación.
....

Los niños que vienen del campo y buscan una mejor vida en la ciudad. Esos niños, la mayoría de las veces, no tienen familia, viven solos...
....

Es un problema grave, mundial.
....

Este problema se solucionaría con charlas para concienciar a los jóvenes sobre las consecuencias que conlleva su consumo, así como un control más duro del mercado de la droga.
....

Yo creo que el gobierno debería proteger más a los niños para que no trabajen.
....

Hay mucha gente que quisiera poder tener un buen estudio pero por falta de dinero, no lo tiene.
....

B. Ahora, subraya o marca en color las frases que sirven para proponer soluciones.

veintisiete 27

2 YO Y MIS COSAS

1 Escoge los cuatro problemas más importantes que existen en tu país, en tu ciudad o en tu escuela y propón soluciones.

1
PROBLEMAS	SOLUCIONES

2
PROBLEMAS	SOLUCIONES

3
PROBLEMAS	SOLUCIONES

4
PROBLEMAS	SOLUCIONES

2 ¿Cuáles son tus sueños?

unidad 3 SE BUSCAN CANDIDATOS

1 **A.** ¿Cuáles de estas acciones son imprescindibles para ser un buen candidato, hacer una buena entrevista o redactar un buen currículum?

- trabajar en grupo
- aprender de los errores
- ser arriesgado
- llegar puntual
- llevar tu CV contigo
- controlar la expresión corporal
- detallar la titulación académica
- poner una fotografía actual
- ordenar los datos personales por fechas
- despedirse atentamente
- ser concreto
- controlar los nervios

Un buen candidato debe...

CURRICULUM VITAE

En un currículum debes...

CV

En una entrevista tienes que...

B. Añade dos acciones más en cada cuadro.

3 DESCUBRO, OBSERVO Y USO

2 A. Lee las descripciones de estos jóvenes. ¿Quién crees que es cada uno? ¿A quién te pareces tú? ¿En qué?

1 Gloria reflexiona mucho antes de hacer alguna cosa. Tiene pocas amigas, pero son amigas de verdad. No le gusta asistir a las fiestas ni a reuniones en las que hay mucha gente o mucho ruido. Le gusta salir al campo y hacer deporte en solitario.

2 Marián es una chica agradable con sus compañeros, pero tiene dificultades para comunicarse con ellos y también con sus profesores. Le cuesta mucho explicar sus ideas y sus sentimientos porque se siente ridícula.

3 José siempre está de buen humor y tiene muchas cosas que explicar. Además, lo hace con mucha gracia y mucho sentido del humor. ¡A su lado uno no se aburre nunca!

4 A Eva le gusta mucho practicar deportes de aventura, no tiene miedo y está muy preparada. Además, es muy solidaria. El verano pasado participó en un campo de trabajo sobre medioambiente en Ecuador e hizo senderismo por un parque natural situado en una zona volcánica del país.

5 Sergio no está de acuerdo con muchas cosas que ocurren a su alrededor, ni en su sociedad ni en el mundo actual, y piensa que los jóvenes deberían protestar más ante cada una de las injusticias que existen: la pena de muerte, el comercio de armas, la discriminación de género, la utilización de los animales para experimentos científicos...

Yo me parezco a...

B. Ahora, escribe los adjetivos que definen la personalidad de estos chicos. Luego escribe una frase explicando cómo es cada uno utilizando los adjetivos que has seleccionado.

GLORIA	MARIÁN	JOSÉ	EVA	SERGIO

seguro/a de sí mismo/a   abierto/a
atrevido/a   simpático/a
callado/a   valiente
cerrado/a
rebelde
majo/a
buen/-a chico/a
aburrido/a
tímido/a
serio/a

Gloria parece una chica muy...

DESCUBRO, OBSERVO Y USO 3

3 A. Lee las distintas opciones del test (a, b, c) y copia los enunciados que faltan, eligiéndolos de la siguiente lista. Cuidado, no todos son adecuados.

1. Mañana tienes un partido de baloncesto importante.

2. Te han invitado a una fiesta y al día siguiente tienes que levantarte a las ocho de la mañana.

3. Tienes que ayudar a tu familia y arreglar una habitación de la casa que está llena de cajas y paquetes, pues os habéis mudado.

4. Tienes que ir a casa de un amigo o amiga que vive en el piso número 10 y no hay ascensor.

5. Cuando estás estudiando para un examen y no entiendes algo...

B. Ahora haz el test y verás cuál es tu estilo de trabajo.

¿CÓMO TRABAJAS?

1 / Antes de hacer tus deberes...
a. vas al cuarto de baño a peinarte, lavarte, mirarte al espejo...
b. charlas por teléfono con tu mejor amigo/a.
c. escuchas música.

2 / ....
a. no te preocupas, te da igual, pasas.
b. te preocupas, te obsesionas, intentas resolverlo.
c. pides ayuda.

3 / ....
a. Lo o la invitas a tu casa.
b. Empiezas a subir y visitas a unos amigos que viven en el primer piso.
c. ¡Te encanta!

4 / Te gustaría tener una habitación de color naranja.
a. Buscas una lámpara de tonos naranja.
b. Compras bombillas de color naranja.
c. Compras pintura naranja y un rodillo para pintar tu habitación.

5 / ....
a. No importa a qué hora debes levantarte, vas a la fiesta y estás allí hasta que se termina.
b. Decides que vas a irte de la fiesta a las 11 h.
c. Dices que no vas.

Solución

Mayoría de respuestas A:
Piensas que trabajar es demasiado pesado. No te gusta el despertador, no te gusta levantarte pronto, no te gusta el esfuerzo. Es probable que tengas problemas con tus profesores y con tus resultados. Empieza a entrenarte, poco a poco, en hacer pequeñas tareas que te cuestan y pronto verás resultados positivos.

Mayoría de respuestas B:
Trabajas regular. Si te dejaras llevar por tus deseos, pasarías mucho tiempo charlando con tus amigos y amigas, pero sabes que tienes que ir al instituto y aceptas la disciplina. Te gusta divertirte y no sacrificas tus aficiones, pero tienes buenos hábitos de trabajo y eso te facilita las cosas.

Mayoría de respuestas C:
Te gusta mucho trabajar y no te dan miedo ni los quilómetros ni las ecuaciones. Luchas y te organizas. ¡Eres una máquina! Seguro que puedes tener muy buenos resultados. ¡Felicidades! Solo un consejo: cuida tu vida social y personal.

4 A. Completa este cuadro con las formas del presente de subjuntivo.

DEMOSTRAR	RESOLVER	PERSEGUIR	TENER	SER
demuestre				sea
	resuelvas		tengas	
	resuelva			
		persigamos		seamos
demostréis			tengáis	
		persigan		

B. Ahora completa estas frases con dos de los verbos del cuadro.

EVA: No creo que Raúl me .... nunca que le gusto.

RAÚL: Creo que lo mejor es que Eva y yo .... solo amigos.

3 DESCUBRO, OBSERVO Y USO

5 Completa esta frase con estos verbos en presente de subjuntivo.

hablar   trabajar   conocer   tener   demostrar   ser

Los departamentos de Recursos Humanos prefieren hoy en día a candidatos que **1.** .... una gran motivación, **2.** .... críticos, **3.** .... en equipo, **4.** .... y una pasión por el trabajo, **5.** .... otras culturas y **6.** .... varios idiomas.

6 Haz una lista de cosas que te gustaría cambiar...

de tu instituto:
Me gustaría / Me gustaría que...

de tu casa:
Me gustaría / Me gustaría que...

de tu ciudad:
Me gustaría / Me gustaría que...

7 Escribe tus demandas.

PARA ARREGLAR EL MUNDO

- Se necesita urgentemente...

- Se buscan...

- Es imprescindible...

- También se precisa/n...

- Para / Para que...

DESCUBRO, OBSERVO Y USO 3

8 Vuelve a escuchar la entrevista a Irina (actividad 4D, página 43 del Libro del alumno) y completa su curriculum vitae.

Pista 60

DATOS PERSONALES

Irina Grijalvo ....

Fecha de nacimiento:

8 de abril de ....

Lugar de nacimiento: Cádiz, España.

Dirección: Morelos Ote, 130, piso 8.

Monterrey, Nuevo León, 64010 México.

FORMACIÓN ACADÉMICA

- Actualmente estoy realizando una investigación sobre las migraciones juveniles en América Central y .... en la Universidad de Monterrey (México).
- 2006: Diploma en Experto Universitario en Microcréditos, por la Universidad ....
- ....: Licenciada .... por la Universidad Complutense de .... (título expedido en 1992).
- 1999: ....

EXPERIENCIA PROFESIONAL

....................: Oficina de ACNUR en ....
2006: Becaria UNICEF en Togo (........ meses). Investigadora-becaria en .... (........ meses).

IDIOMAS

Español: Lengua materna.

INFORMÁTICA

OTROS DATOS DE INTERÉS

9 A. Completa estas frases con el imperativo afirmativo o negativo del verbo entre paréntesis.

1. ¡Venga, os voy a sacar una foto! ¡.................... (sonreír)!
2. ¡.................... (hablar) tan alto, Jaime, que no soy sorda!
3. ¿Conoces el dicho ".................... (morder) la mano que te da de comer"?
4. Pórtate bien, ... (hacer) todo lo que te diga la abuela.
5. .... (pedir) lo que no puedas devolver.
6. ¡Niños! Acabo de fregar el suelo, ... (tener) un poco de cuidado.

B. Ahora, completa esta tabla con los verbos que has utilizado en el apartado A.

INFINITIVO	IMPERATIVO AFIRMATIVO SINGULAR	IMPERATIVO AFIRMATIVO PLURAL	IMPERATIVO NEGATIVO SINGULAR	IMPERATIVO NEGATIVO PLURAL
hablar		hablad		
morder	muerde			
			no hagas	
				no tengáis
pedir		pedid		
sonreír	sonríe			

3 DESCUBRO, OBSERVO Y USO

10 Anne y Erika están leyendo los requisitos que piden para algunos puestos de trabajo. Escribe un diálogo entre ellas comentando cada anuncio.

• Mira, este anuncio dice que necesitan chicas para fotos, que tengan entre 15 y 16 años, para un libro de texto. También se necesita que tengan firmado el permiso materno para los derechos de imagen.
○ ¿Pagan?
• Sí, pagan 10 €/hora.

a
Se buscan chicos y chicas para fotografías en un libro de texto.
REQUISITOS:
– Tener entre 15 y 16 años.
– Tener firmado el permiso paterno o materno para los derechos de imagen.
Se pagarán 10 € la hora.

b
Se precisa chico o chica para pegar carteles comerciales.
REQUISITOS:
– Conocer las calles de la ciudad.
– Tener las tardes libres.
– Saber circular en bicicleta por la ciudad.
Los interesados deberán presentarse en la oficina del ayuntamiento el próximo sábado de 10 a 11 h.

c
Se buscan jóvenes para trabajo voluntario para ayudar a hacer la compra a personas ancianas del barrio.
REQUISITOS:
– Tener el sábado por la mañana libre.
– Tener paciencia.
– Saber comprar, elegir, regatear.
– Ser deportivo (hay que subir escaleras).
Los candidatos y candidatas deberán pasar una entrevista personal.

d
Se necesitan 2 chicos o chicas para sacar a pasear 3 perros dóberman.
REQUISITOS:
– Conocer los perros de esta raza.
– No tener miedo de los perros.
– Ser deportivo.
– Correr.
– Tener fuerza.
Los interesados deberán pasar un periodo de prueba de un mes.

11 Coloca el pronombre **se** en las frases donde sea necesario.

1. La fundación .... busca candidatos mayores de 18 años.
2. Los profesores .... orientarán y .... aconsejarán a los alumnos.
3. .... Reciben eventualmente la visita de profesionales del sector.
4. Todos .... enriquecerán con la convivencia.
5. La organización .... convoca plazas todos los años.
6. Los jóvenes .... reúnen al final de la jornada.
7. Sus carreras .... continúan desarrollándose.
8. Las inscripciones .... cerrarán el viernes, 10 de abril.

DESCUBRO, OBSERVO Y USO 3

12 A. Lee esta convocatoria y la respuesta de Johanna.

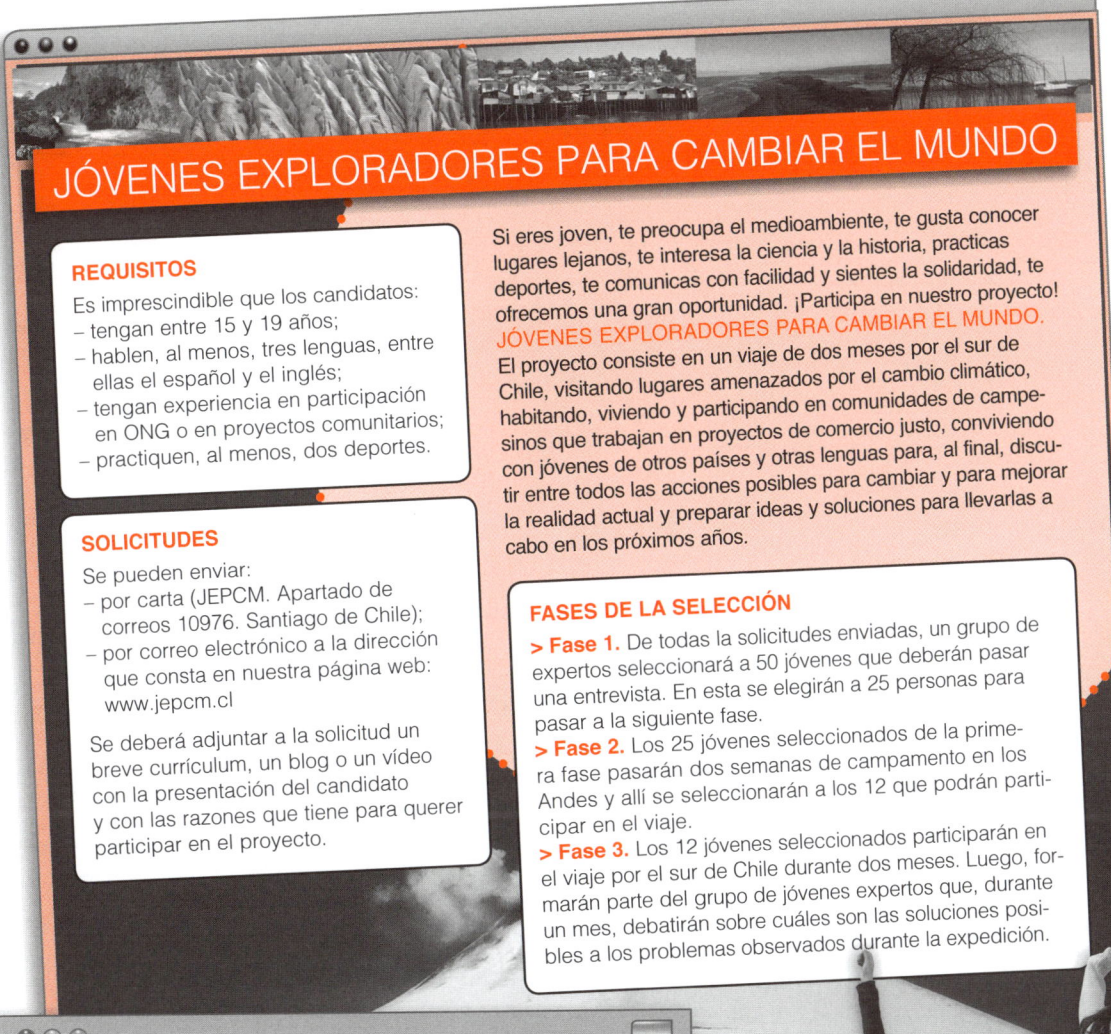

JÓVENES EXPLORADORES PARA CAMBIAR EL MUNDO

REQUISITOS

Es imprescindible que los candidatos:
- tengan entre 15 y 19 años;
- hablen, al menos, tres lenguas, entre ellas el español y el inglés;
- tengan experiencia en participación en ONG o en proyectos comunitarios;
- practiquen, al menos, dos deportes.

SOLICITUDES

Se pueden enviar:
- por carta (JEPCM. Apartado de correos 10976. Santiago de Chile);
- por correo electrónico a la dirección que consta en nuestra página web: www.jepcm.cl

Se deberá adjuntar a la solicitud un breve currículum, un blog o un vídeo con la presentación del candidato y con las razones que tiene para querer participar en el proyecto.

Si eres joven, te preocupa el medioambiente, te gusta conocer lugares lejanos, te interesa la ciencia y la historia, practicas deportes, te comunicas con facilidad y sientes la solidaridad, te ofrecemos una gran oportunidad. ¡Participa en nuestro proyecto! JÓVENES EXPLORADORES PARA CAMBIAR EL MUNDO. El proyecto consiste en un viaje de dos meses por el sur de Chile, visitando lugares amenazados por el cambio climático, habitando, viviendo y participando en comunidades de campesinos que trabajan en proyectos de comercio justo, conviviendo con jóvenes de otros países y otras lenguas para, al final, discutir entre todos las acciones posibles para cambiar y para mejorar la realidad actual y preparar ideas y soluciones para llevarlas a cabo en los próximos años.

FASES DE LA SELECCIÓN

> **Fase 1.** De todas la solicitudes enviadas, un grupo de expertos seleccionará a 50 jóvenes que deberán pasar una entrevista. En esta se elegirán a 25 personas para pasar a la siguiente fase.
> **Fase 2.** Los 25 jóvenes seleccionados de la primera fase pasarán dos semanas de campamento en los Andes y allí se seleccionarán a los 12 que podrán participar en el viaje.
> **Fase 3.** Los 12 jóvenes seleccionados participarán en el viaje por el sur de Chile durante dos meses. Luego, formarán parte del grupo de jóvenes expertos que, durante un mes, debatirán sobre cuáles son las soluciones posibles a los problemas observados durante la expedición.

Apreciados señores:
Les envío mi solicitud para participar en el proyecto JÓVENES EXPLORADORES PARA CAMBIAR EL MUNDO. Tengo 17 años y soy de Estados Unidos. Participo en muchas actividades sociales de mi barrio. Hablo inglés y español. Abajo encontrarán la dirección de mi blog para que vean mi presentación personal y las actividades en las que colaboro y los deportes que practico.
Atentamente.

JOHANNA

B. Ahora, escribe un correo electrónico con tu solicitud.

treinta y cinco **35**

3 DESCUBRO, OBSERVO Y USO

13 Sonia ha hecho una serie de actividades este fin de semana. Imagina para qué las ha hecho. Deberás elegir entre **para** + infinitivo o **para que** + subjuntivo.

1. El sábado se levantó pronto ....
2. Desyunó un bocadillo y un zumo de naranja natural ....
3. Se fue a jugar un partido de baloncesto y se esforzó en jugar muy bien ....
....
4. Era el cumpleaños de su amiga Paula y llamó a otras dos amigas ....
....
5. Fueron a casa de Paula ....

14 Completa esta carta con las siguientes frases.

a. Un saludo muy cordial,
b. He adjuntado mi currículum
c. Muy señores míos:
d. Estaré esperando su respuesta.
e. Me dirijo a ustedes para solicitar…

(1) ....

(2) .... una plaza en las becas que ofrece su asociación. Me llamo Samira, tengo 19 años y soy de Marruecos pero mi mamá es española, de Córdoba. Ella es profesora de literatura y desde pequeña me ha inculcado el amor por la literatura, sobre todo por la novela. Uno de sus autores favoritos es Antonio Gala, por eso cuando vi esta convocatoria pensé que era una oportunidad única para mí.

Aunque vamos cada verano a Córdoba, me gustaría ir una vez sola y conocer a chicos y chicas de otras nacionalidades. Yo hablo español pero también árabe y francés. Un día me gustaría ser traductora. He creado un blog para relacionarme con otros chicos y chicas. Es muy interesante. En estos momentos estamos trabajando en microrrelatos.

(3) .... y el enlace al blog para que vean cuáles son mis titulaciones y experiencia. Espero poder ser elegida porque sería una gran oportunidad para mí trabajar en grupo con personas de otras nacionalidades.

(4) ....
(5) ....

Samira Taia

PRACTICO MI VOCABULARIO 3

1 **A.** Subraya los adjetivos que definen tu carácter.

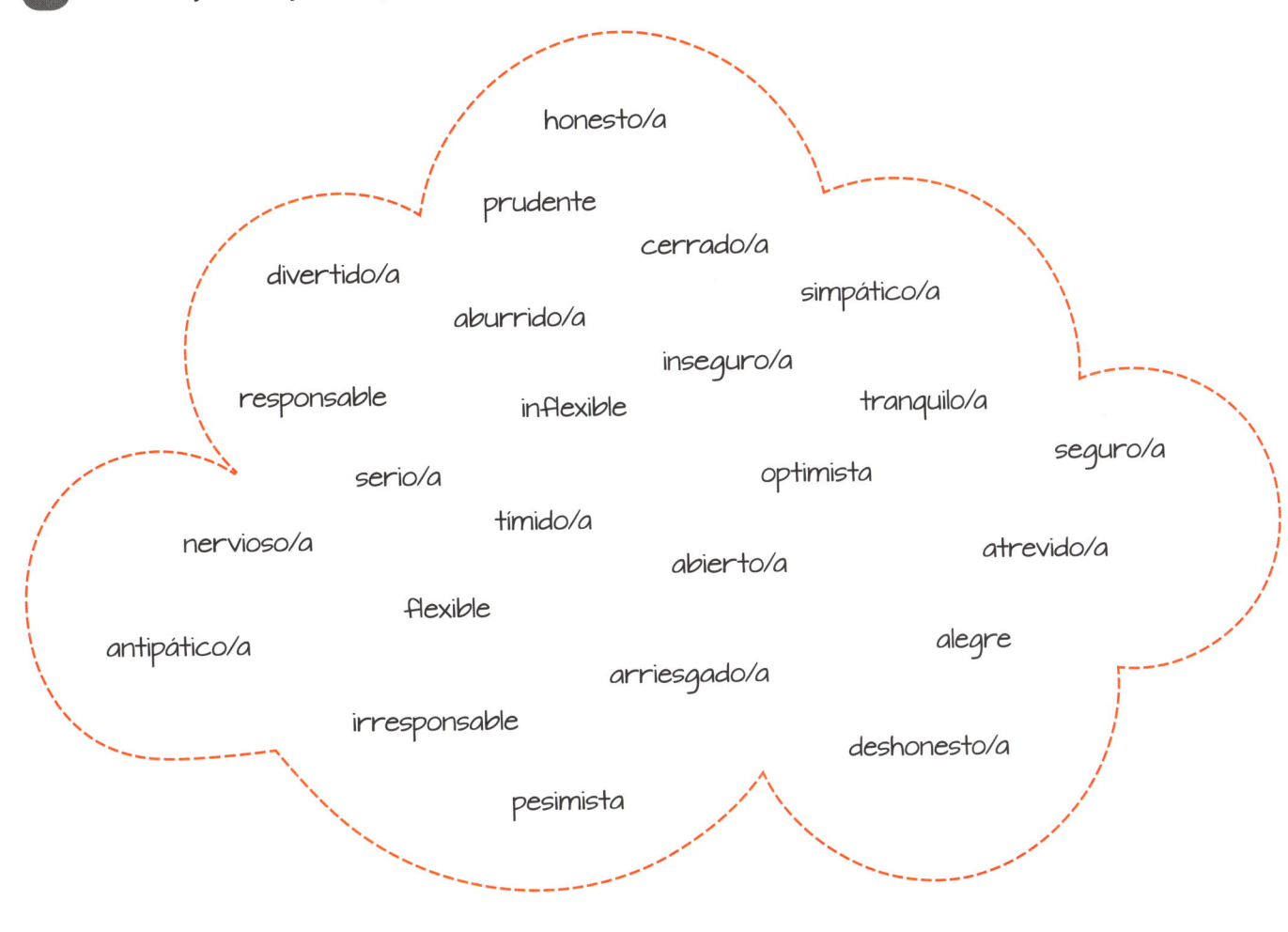

honesto/a
prudente
cerrado/a
divertido/a
simpático/a
aburrido/a
inseguro/a
responsable
inflexible
tranquilo/a
seguro/a
serio/a
optimista
nervioso/a
tímido/a
atrevido/a
abierto/a
flexible
alegre
antipático/a
arriesgado/a
irresponsable
deshonesto/a
pesimista

B. Ahora empareja cada adjetivo con su contrario.

abierto/a → ....
divertido/a → ....
simpático/a → ....
seguro/a → ....
tranquilo/a → ....
serio/a → ....

optimista → ....
responsable → ....
arriesgado/a → ....
flexible → ....
honesto/a → ....
tímido/a → ....

2 Relaciona las palabras de las dos columnas. Puede haber varias combinaciones posibles.

cometer	una decisión
estudiar	un conflicto
tomar	dinero
dejar	un error
resolver	un sueño
ganar	éxito
tener	diferentes posibilidades
cumplir	pasar un tiempo

treinta y siete **37**

3 LEO, ESCRIBO Y ESCUCHO

1 Lee esta carta y completa la tabla.

QUIERO CAMBIAR EL MUNDO

Me llamo Fatoumata y soy de Guinea, pero vivo en España con mi familia desde hace cuatro años. Tengo 18 años y estoy estudiando el primer curso de Medicina en la Universidad de Granada. Quiero ser médica y luego volver a mi país para trabajar en un hospital allí y ayudar, así, a mis compatriotas en África. Hablo español, francés, inglés, fulah (mi lengua materna), susho, malinke y un poco de árabe. Me gusta la música, el teatro y leer. Soy miembro de la Cruz Roja de la ciudad en la que vivo (Baza) y doy cursos de natación y socorrismo a los chicos y las chicas más jóvenes que yo. Y como me gusta mucho el teatro, soy miembro activo de PayaSOSpital y organizo actividades para los pequeños que están ingresados en el hospital pediátrico de Granada.

Hago bastante deporte: natación, submarinismo y atletismo.

Me gustaría mucho participar en el programa JÓVENES EXPLORADORES PARA CAMBIAR EL MUNDO. Creo que puedo aprender mucho y aportar también mucho. ¡Sería un sueño para mí!

Aquí tienen mi videoblog y mi correo electrónico.

NOMBRE	
NACIONALIDAD	
EDAD	
PROFESIÓN	
LENGUAS	
GUSTOS	
ASOCIACIONES A LAS QUE PERTENECE	
DEPORTES	
SU SUEÑO	

38 treinta y ocho

LEO, ESCRIBO Y ESCUCHO 3

2 Piensa en un trabajo que te gustaría realizar en el verano y escribe una carta de motivación.

3 Escucha este fragmento de una entrevista y contesta a las siguientes preguntas.

Pista 61

¿Por qué está interesado el candidato en el trabajo?

¿Cuáles son sus puntos fuertes para este puesto, según él?

¿Qué cree el candidato que puede aportar a la empresa?

¿Qué lenguas habla?

¿Cuándo puede incorporarse al trabajo?

treinta y nueve 39

3 YO Y MIS COSAS

1 Rellena esta ficha con tu información real.

Pega tu foto	Apellido/s:		Nombre:
	Nacionalidad:		Edad:
	Domicilio	Calle:	Número:
		Ciudad:	País:

Ocupación actual:

Lenguas habladas:

Proyectos en los que colabora:

Aficiones y deportes que practica:

Razones para participar en el proyecto:

unidad 4 CUÉNTAME UN CUENTO

1 Estos fragmentos pertenecen a seis cuentos. Relaciona el principio de cada fragmento con su final correspondiente. Luego escribe el título del cuento al que pertenecen.

Blancanieves
1. La bruja, disfrazada de anciana, llegó hasta la casa y le ofreció una manzana envenenada ... — a

2. Una bruja le había dicho que al llegar a los 16 años, se pincharía con la aguja de un huso de hilar ...

3. Un día el espejo le respondió ...

4. Cuando vio que no le querían pagar ...

5. Las dos hermanastras le dijeron ...

6. Gepetto deseaba con toda su alma que su muñeco de madera...

7. Los siete enanitos lloraban desconsoladamente, ...

8. El príncipe ordenó que ...

9. Al frotar la lámpara ...

BLANCANIEVES · **CENICIENTA** · **LA BELLA DURMIENTE** · **PINOCHO** · **EL FLAUTISTA DE HAMELÍN** · **ALADINO Y LA LÁMPARA MARAVILLOSA**

a. para que la comiera.

b. salió de ella un genio que llevaba allí más de mil años encerrado y le concedió tres deseos.

c. se convirtiese en un niño de verdad.

d. encontraran a la hermosa dueña desconocida del zapatito de cristal.

e. cuando llegó un príncipe, que, asombrado por su belleza, pidió llevar el cuerpo de Blancanieves a palacio para ser allí velado.

f. que no podía ir a la fiesta.

g. y moriría. Pero un hada cambió el hechizo de la muerte por un dulce sueño de cien años.

h. que la más guapa del Reino era Blancanieves.

i. tocó su flauta y todos los niños del pueblo le siguieron hasta una cueva.

cuarenta y uno 41

4 DESCUBRO, OBSERVO Y USO

2 Transforma lo que dicen los personajes en estilo indirecto, eligiendo, en cada caso, el verbo más adecuado.

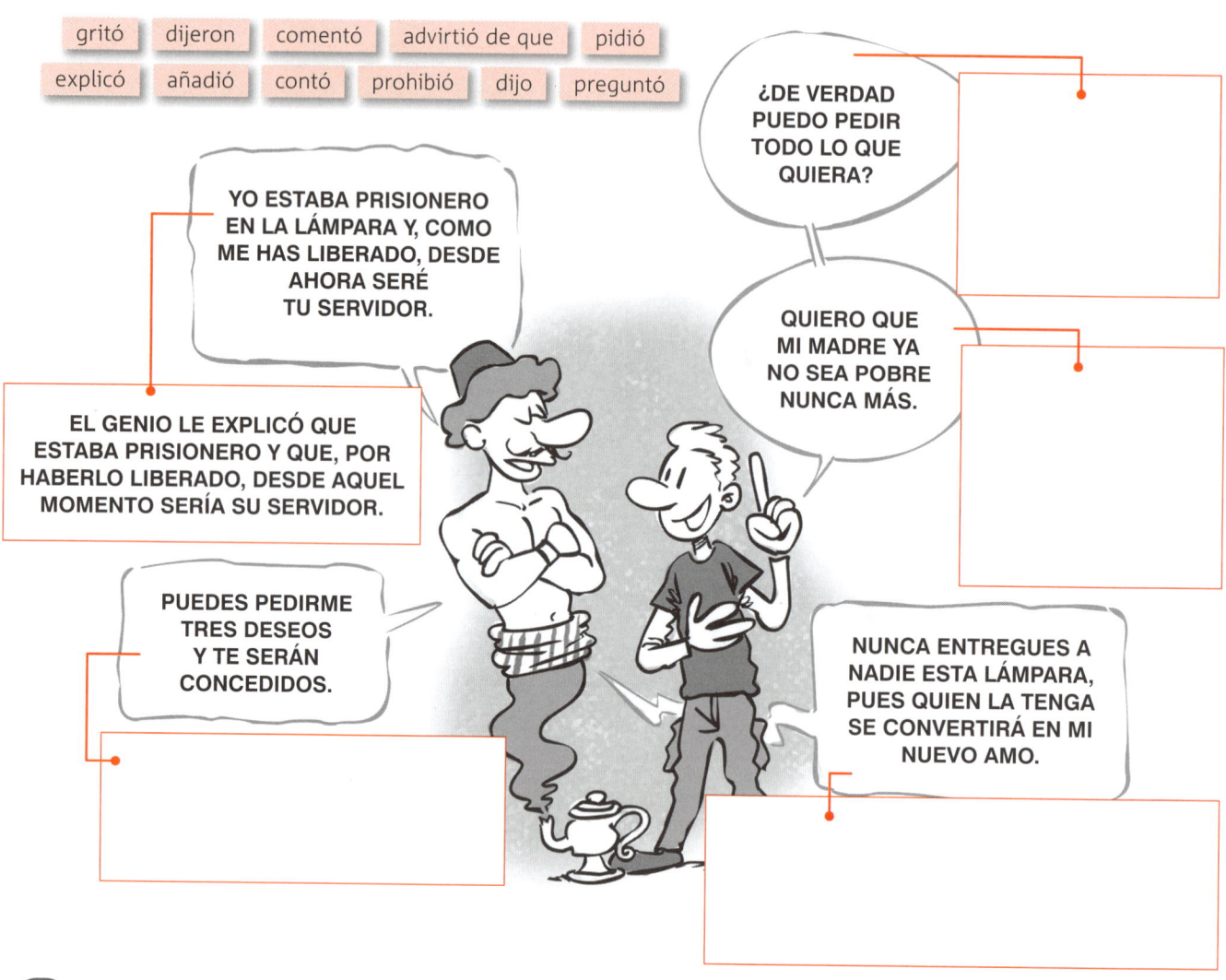

| gritó | dijeron | comentó | advirtió de que | pidió |
| explicó | añadió | contó | prohibió | dijo | preguntó |

¿DE VERDAD PUEDO PEDIR TODO LO QUE QUIERA?

YO ESTABA PRISIONERO EN LA LÁMPARA Y, COMO ME HAS LIBERADO, DESDE AHORA SERÉ TU SERVIDOR.

QUIERO QUE MI MADRE YA NO SEA POBRE NUNCA MÁS.

EL GENIO LE EXPLICÓ QUE ESTABA PRISIONERO Y QUE, POR HABERLO LIBERADO, DESDE AQUEL MOMENTO SERÍA SU SERVIDOR.

PUEDES PEDIRME TRES DESEOS Y TE SERÁN CONCEDIDOS.

NUNCA ENTREGUES A NADIE ESTA LÁMPARA, PUES QUIEN LA TENGA SE CONVERTIRÁ EN MI NUEVO AMO.

3 Transforma las frases de esta historia encadenada utilizando **al** + infinitivo.

> Oí un ruido extraño y salí al patio con una linterna ⛓ tropecé con una piedra y me caí ⛓ me caí y se rompió la linterna ⛓ se rompió la linterna y me quedé a oscuras ⛓ me quedé a oscuras y vi dos pequeñas luces ⛓ vi dos pequeñas luces y me acerqué ⛓ me acerqué y vi que era el gato de los vecinos ⛓ me vio, se asustó y salió corriendo ⛓ me di cuenta de que era un gato y me quedé muy tranquila. Tan tranquila que me volví a casa a oscuras ⛓ me metí en la cama y dormí como un tronco.

Al oír un ruido extraño, salí al patio con una linterna y tropecé con una piedra. Al...

DESCUBRO, OBSERVO Y USO 4

4 Crea tu propia historia. Pero, ¡atención!, tiene que ser distinta de la que hay en el Libro del alumno.

cuarenta y tres 43

4 DESCUBRO, OBSERVO Y USO

5 **A.** Completa este texto añadiendo las frases que tienes a continuación. Para que el texto tenga coherencia, tendrás que hacer algunos cambios.

- había una vez
- era muy mentiroso
- que estaba acostumbrada a oír sus voces
- una tarde en la que se aburría mucho
- pensó que era mentira

Título:

Un pastor estaba guardando su rebaño no lejos del pueblo, y pensó que sería divertido asustar a los vecinos diciendo que los lobos atacaban al rebaño. Por ello, empezó a gritar: "¡Que viene el lobo! ¡El lobo!", y cuando llegaron a toda prisa los vecinos, él se rio de sus temores. Repitió la broma varias veces y los campesinos, una y otra vez, vieron que habían acudido corriendo inútilmente. Pero un día, vino el lobo de verdad y el pastor gritó: "¡Que viene el lobo! ¡El lobo!" lo más fuerte que pudo. La gente del pueblo no le hizo caso ni corrió en su ayuda. Y el lobo, sin encontrar resistencia, pudo comerse todas las ovejas…

Moraleja:

B. ¿Conocías la historia? Se trata de un conocido cuento. Escribe el título. ¿Cuál es la moraleja? Añádela.

DESCUBRO, OBSERVO Y USO 4

6 **A.** Imagina que estás en esta situación: solo o sola en casa, es de noche y se oyen ruidos en el pasillo que va a tu habitación. Escribe otras cosas que crees que dirías.

- ¡Qué miedo! Buscaré el móvil y llamaré a mis padres sin moverme de la cama.
- Quizá es un ladrón...
- Es mejor que me levante y llame a la policía.
- A lo mejor son mis padres que han vuelto antes.
- Si me quedo muy quieta a lo mejor pensarán que no hay nadie en casa...
- ¡Tranquila! ¿Y si fuera el gato de los vecinos?

B. Ahora imagina que, unos días después, cuentas a alguien todo lo que pensaste en esta situación. Ojo: tendrás que hacer algunos cambios.

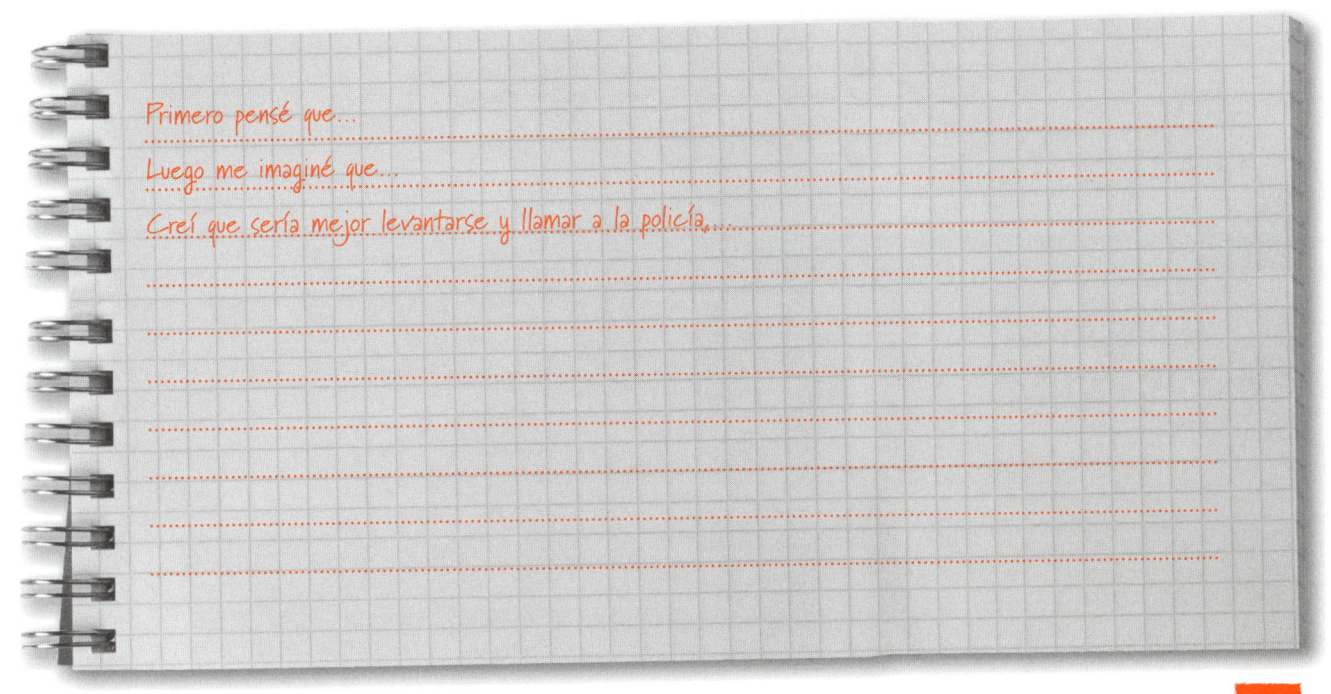

Primero pensé que...
Luego me imaginé que...
Creí que sería mejor levantarse y llamar a la policía.

cuarenta y cinco **45**

4 DESCUBRO, OBSERVO Y USO

7 Aquí tienes una máquina de fabricar cuentos. Fabrica el tuyo.

INGREDIENTES
(a elegir):

PERSONAJES
1. un gato abandonado, blanco con una mancha negra en el ojo izquierdo
2. un príncipe que se aburre en su palacio y quiere ser reportero de televisión
3. un estudiante de secundaria con una mente prodigiosa para las matemáticas
4. una serpiente encantada
5. una amiga envidiosa
6. un ladrón de palabras
7. una espía muy bella

LUGARES
1. un colegio
2. una calle
3. un pueblo de montaña
4. una isla

ACCIONES
1. perder
2. ganar
3. encontrar
4. llegar

UN OBJETO MÁGICO
1. una llave
2. una taza
3. una esmeralda
4. tres palabras

PROBLEMAS
1. enfermedad que hay que curar
2. búsqueda de la felicidad
3. encontrar al padre o a la madre
4. encontrar un tesoro

¿Cómo hacerlo? Instrucciones

1. Para hacer un cuento debes elegir:

tres personajes (un protagonista, un ser amigo y un antagonista)	
un problema	
un objeto mágico	
dos escenarios	
tres verbos	

2. Ahora tienes los elementos más importantes de tu cuento. Explica la historia siguiendo este esquema:

INTRODUCCIÓN	
Descripción del protagonista del cuento: quién era, dónde vivía, cómo se llamaba y el problema que tenía que resolver.	

NUDO	
Un ser amigo le ayuda y le proporciona un objeto para que pueda resolver su problema.	
El protagonista se dispone a solucionarlo.	
El antagonista se lo impide, sometiéndole a pruebas.	
El protagonista las supera solo con la ayuda del objeto y las pistas que le ha dado el ser amigo.	

DESENLACE	
¿Qué ocurre? Atención: ¡Esto lo tienes que inventar!	

3. Pon un título a tu cuento:

....

PRACTICO MI VOCABULARIO 4

1 Rellena con las informaciones que faltan. Al final, añade un cuento. Puedes consultar el diccionario.

MI DICCIONARIO DE LOS CUENTOS

	¿QUIÉN?	¿QUÉ?	¿DÓNDE?	¿QUÉ PASA?
	PERSONAJES	OBJETOS IMPORTANTES	ESCENARIOS	VERBOS DE ACCIÓN
CENICIENTA	Cenicienta el hada madrina el príncipe las hermanastras la madrastra	varita mágica carroza zapatos de cristal	la casa de Cenicienta el castillo del príncipe	impedir llorar ir a bailar aparecer transformar en perder pregonar encontrar
LA BELLA DURMIENTE		el huso de hilar		
PINOCHO	Gepetto Pinocho			
EL FLAUTISTA DE HAMELÍN			ciudad de Hamelín cueva	

cuarenta y siete 47

4 LEO, ESCRIBO Y ESCUCHO

1 Lee y alarga este cuento añadiendo adjetivos y circunstancias. Las preguntas te ayudarán.

Autor
Braulio Llamero.

Fuente de los cuentos
https://losminicuentos.wordpress.com

¿Por qué era pobre y feliz?
¿Cómo se perdió?
¿Cómo era la ciudad?
¿Cómo era la mujer que lo encontró?
¿Por qué decidió adoptarlo?
¿Por qué dejó de ser pobre?
¿Y feliz?

EL BOSQUE

Esto era un niño pobre y feliz que se perdió en el inmenso bosque de calles y edificios de una gigantesca ciudad. Lo encontró y adoptó una experta en Bolsa del próspero distrito financiero. Nunca volvió a ser pobre. Ni feliz.

Esto era un niño pobre y feliz porque...

LEO, ESCRIBO Y ESCUCHO 4

2 Transforma este fragmento del cuento combinando narración y estilo directo. Inventa los diálogos entre los personajes.

...
Pero el rey, antes de ir él solo a ver la tela como le pedían los tejedores envió a un criado suyo y le pidió que le dijera la verdad sobre el trabajo de los tres individuos. Cuando el servidor vio a los tejedores y les oyó comentar entre ellos las virtudes de la tela, no se atrevió a decir que no la veía, pues tuvo miedo de que se pensaran que no era hijo de su padre. Y así, cuando volvió a palacio, dijo al rey que había visto la tela. El rey mandó después a otro servidor, que también afirmó lo mismo.
...

3 Escucha y responde a las preguntas:

Pista 62

1
a. Se trata de una leyenda de México.
b. Se trata de una leyenda de Costa Rica.

2
a. Itzarú era un volcán.
b. Itzarú era la hija de un cacique.

3
a. Itzarú se casó con el cacique de Guarco.
b. Itzarú fue sacrificada para calmar la furia del cacique de Guarco.

4
a. Cuando Itzarú estuvo dentro del volcán lloró mucho.
b. Cuando Itzarú estuvo dentro del volcán hizo temblar toda la tierra y provocó una erupción.

5
a. El cacique de Guarco lloró porque sintió pena por Itzarú.
b. El cacique de Guarco lloró porque vio sus tierras llenas de cenizas del volcán.

6
a. Desde entonces en el país hay paz.
b. Desde entonces, en el país siempre hay volcanes en erupción.

4 YO Y MIS COSAS

1 Recupera el esquema de cuento que has hecho en la actividad 7. Redáctalo, teniendo en cuenta la introducción, el nudo y el desenlace. Elige, de entre las expresiones del recuadro, las que te sean más útiles. Luego, ilústralo con dibujos o fotos.

> Al año siguiente
> Al día siguiente
> A la semana siguiente
> Pasados varios días
> Pasadas varias semanas
> Al cabo de unos días
> Al cabo de unas semanas
> Mucho tiempo después
> Al + infinitivo
> En cuanto

unidad 5 — HABLAR BIEN, ESCRIBIR BIEN

1 Completa la tabla copiando en el lugar adecuado las frases y palabras de la lista. Luego, busca dos imágenes que ilustren dos palabras contrarias.

- se lee muy bien, es corto y tiene la letra muy grande
- información
- desigualdad
- ilegible
- distribución desigual
- una exposición formal
- es un desconocido
- inmóvil
- igualdad
- desinformación

Una persona conocida	es alguien que conocemos.	Un chico que no conocemos	....
Esta fotocopia está mal hecha, borrosa, oscura, es	....	Una conversación informal	es hablar con amigos espontáneamente.
José y Manu son idénticos,	porque son mellizos.	Este libro es legible	....
Un alimento necesario	es un pruducto que hace mucha falta.	Un producto innecesario	es algo que no hace ninguna falta.
Un móvil	no solo es un teléfono portátil, es también algo que se mueve.	Cuando me dieron la noticia me quedé parada,	....
En el mundo, los recursos del agua no son iguales para todos los países pues hay una	....	....	es hablar en público de un tema, de forma ordenada y pensando lo que se dice.
La .... de este periódico	es muy buena.	Hay que luchar contra la	entre los hombres y las mujeres.
Los derechos humanos proclaman la	de todos los seres, sin importar la raza, el sexo o la religión.	Muchas personas piensan que la televisión es una fuente de	....

cincuenta y uno 51

5 DESCUBRO, OBSERVO Y USO

2 Marca a qué palabras o grupos de palabras se refieren las subrayadas, como en el ejemplo. Utiliza un color diferente para cada palabra.

> (El agua) (del latín *aqua*) es un elemento químico formado por dos átomos de hi
>
> (Este elemento) es el único compuesto químico de la naturaleza que puede t

UN ELEMENTO VITAL

El agua es totalmente imprescindible para los seres vivos, lo que significa que, sin ella, no existiría la vida en nuestro planeta. En concreto, en cuanto a los seres humanos, hay que tener en cuenta que el 70% de nuestro cuerpo lo constituye este elemento y que lo utilizamos todos los días, durante toda nuestra vida.

Aunque la Tierra es rica en agua, el 96% de este planeta es agua salada o agua helada (3%). Como la mayoría de los seres vivos, lo que necesitamos las personas es agua dulce, y esta representa tan solo el 1% del agua de la Tierra, en algunos lugares es insuficiente. Además, su distribución no es igual en todo el planeta: en algunas zonas hay gran abundancia, y en otras, gran escasez, lo que tiene innumerables consecuencias para la vida de los pueblos e impide el desarrollo de muchos países.

3 Lee el texto "El valor del agua" (página 71 del Libro del alumno) y copia las frases en las que se dan estas afirmaciones:

Más de la mitad del peso de una persona es agua.	
El agua potable se reparte de forma irregular en todo el planeta.	
Casi la mitad de la población del mundo tiene problemas para acceder al agua potable.	
La mala calidad del agua potable causa muchos problemas en la salud de la mitad de la población mundial.	
Los niños son las víctimas principales de las enfermedades causadas por la mala calidad del agua.	

DESCUBRO, OBSERVO Y USO 5

4 Aquí tienes una serie de informaciones sobre el aire y sobre la contaminación atmosférica. Escribe dos pequeños textos formales con las informaciones más importantes. Piensa también en un título para cada texto y añade dos imágenes (puedes recortarlas de alguna revista, buscarlas en internet o dibujarlas).

– El ozono y el dióxido de carbono componen el 1% del aire.
– El aire está compuesto de elementos químicos.
– La cantidad de vapor de agua en el aire puede variar desde el 0% hasta el 7%.
– Los elementos químicos que componen el aire son el nitrógeno, el oxigeno, el vapor de agua y otras sustancias.
– El aire tiene un 78% de nitrógeno.
– El elemento químico más importante de todos los que componen el aire es el nitrógreno.
– El oxígeno constituye el 21% de la composición del aire.
– El aire tiene una composición de vapor de agua muy variable.
– Se denomina aire a la mezcla de gases que rodean la Tierra.
– El 1% del aire lo componen otras sustancias.
– El aire es esencial para la vida en el planeta.
– El conjunto de estos gases constituye lo que llamamos la atmósfera terrestre.

Recuerda que, en este tipo de textos, debes:
1. ordenar bien las informaciones,
2. reflexionar en qué orden vamos a presentarlas,
3. conectar las ideas,
4. no repetir palabras.

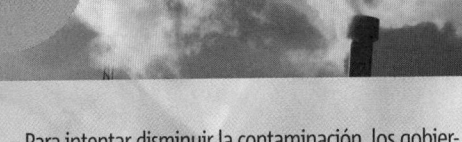

– Para intentar disminuir la contaminación, los gobiernos y los ciudadanos deberían tomar medidas.
– Las actividades industriales están provocadas por las personas humanas.
– Los gobiernos deberían controlar o suprimir las industrias peligrosas.
– El aire se contamina por las actividades industriales y comerciales.
– La energía solar y la energía eólica son energías limpias porque no contaminan el aire.
– La contaminación del aire es un problema cada vez mayor.
– En las grandes ciudades el aire está más contaminado porque hay una mayor presencia industrial.
– La contaminación del aire tiene efectos negativos sobre el medio ambiente y sobre la salud de las personas.
– Los ciudadanos deberían consumir energías limpias.

cincuenta y tres 53

5 DESCUBRO, OBSERVO Y USO

5 Con los datos que te damos y los que puedes encontrar en internet, escribe en un lenguaje formal una breve historia de estos tres inventos del siglo XXI.

Facebook

* **¿Qué es?** Una página web de redes sociales.
* **¿Para qué sirve?** Para compartir con amigos todas las noticias personales o sociales que se consideren interesantes.
* **Año:** 2003.
* **Lugar:** Universidad de Harvard, EE. UU.
* **Creador:** M. Zuckerberg (EE. UU). En 2007 aparecieron las versiones en francés, alemán y español traducidas por voluntarios para poder expandir la web fuera de Estados Unidos.
* **Usuarios:** 1600 millones.

Existe una película sobre los inicios de Facebook titulada *La red social*.

* **Logo:**

Skype

* **¿Qué es?** Una aplicación.
* **¿Para qué sirve?** Para que los usuarios se comuniquen entre ellos de manera gratuita mediante texto, audio o videoconferencia. Tiene también la posibilidad de poder llamar a teléfonos convencionales con tarifas muy bajas, según el país de destino.
* **Año:** 2003.
* **Lugar:** Tallin (Estonia).
* **Diseñadores:** J. Friis (Dinamarca) y N. Zennström (Suecia).
* **Programadores:** P. Kassalu, A. Hainla y J. Tallinn (Estonia).
* **Usuarios:** 500 millones.

* **Logo:**

WhatsApp

* **¿Qué es?** Es una aplicación.
* **¿Para qué sirve?** Para enviar y recibir mensajes de texto y multimedia y hablar por medio de teléfonos inteligentes.
* **Año:** 2009.
* **Lugar:** Silicon Valley, EE. UU.
* **Creador:** Jan Koum.
* **Usuarios:** 1000 millones.

En febrero de 2014 Facebook compró esta aplicación por 19 000 millones de dólares. Solo unas semanas después de la compra, WhatsApp anunció tener capacidad para realizar videollamadas en el verano del mismo año.

* **Logo:**

Facebook:
....
....
....
....
....

Skype:
....
....
....
....
....

WhatsApp:
....
....
....
....
....

DESCUBRO, OBSERVO Y USO 5

6 **A.** Escucha la grabación y rellena la siguiente ficha.

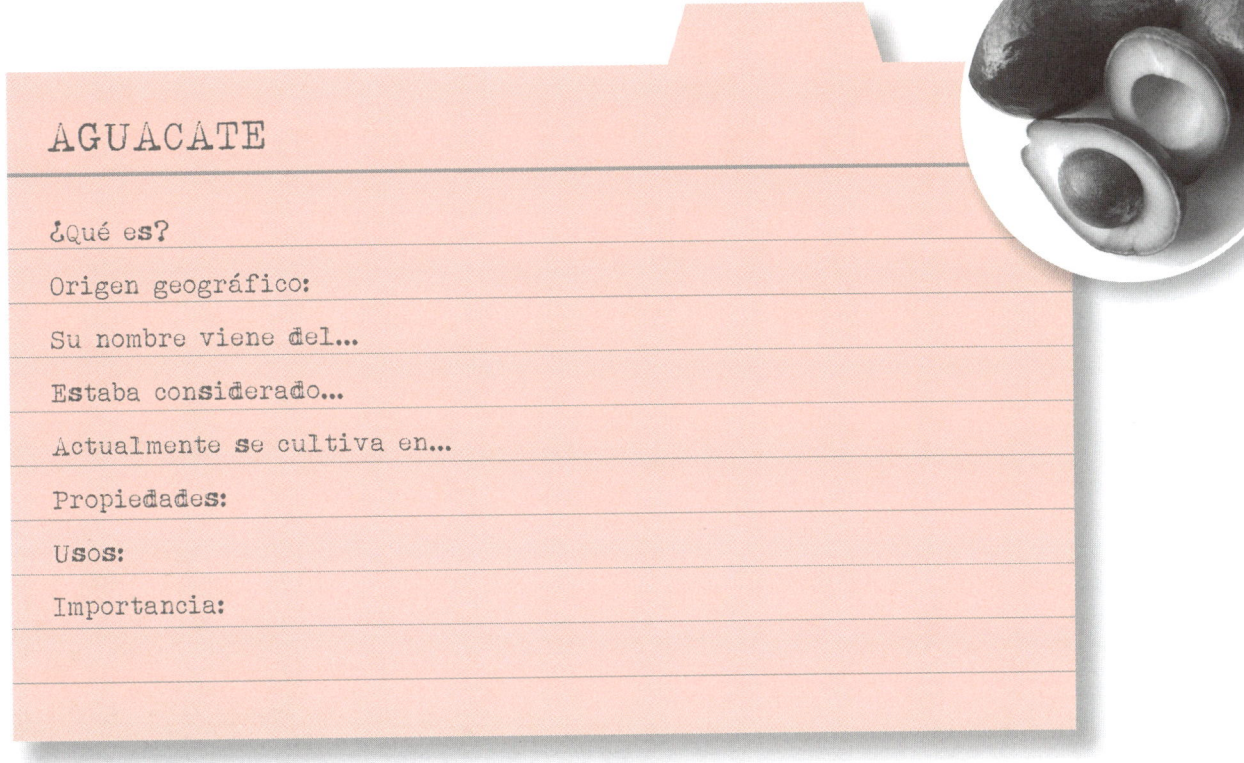

Pista 63

AGUACATE

¿Qué es?

Origen geográfico:

Su nombre viene del...

Estaba considerado...

Actualmente se cultiva en...

Propiedades:

Usos:

Importancia:

B. Con la información que tienes del aguacate, crea una infografía sobre esta fruta.

7 Une las dos partes de cada frase.

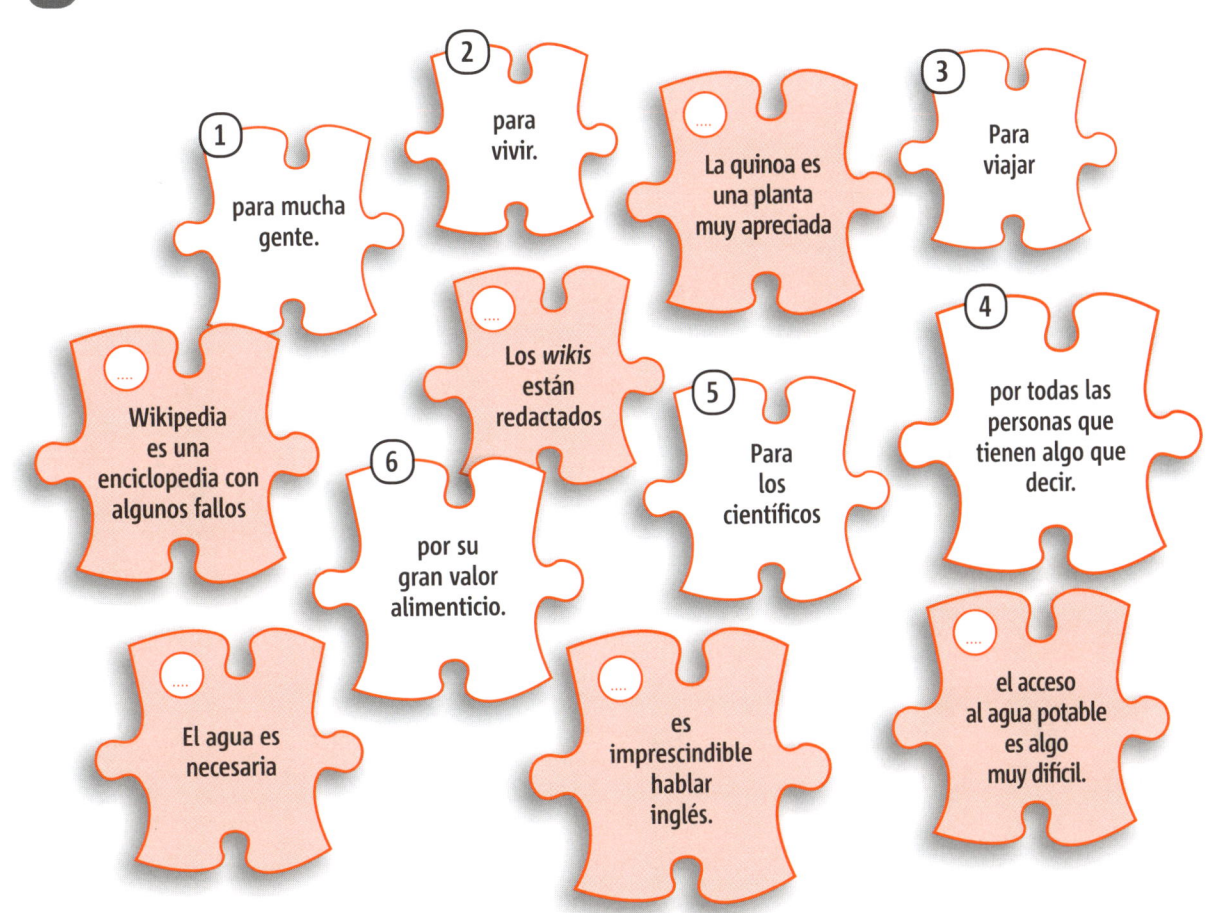

1. para mucha gente.
2. para vivir.
3. Para viajar
4. por todas las personas que tienen algo que decir.
5. Para los científicos
6. por su gran valor alimenticio.

- La quinoa es una planta muy apreciada
- Los *wikis* están redactados
- Wikipedia es una enciclopedia con algunos fallos
- El agua es necesaria
- es imprescindible hablar inglés.
- el acceso al agua potable es algo muy difícil.

cincuenta y cinco 55

5 DESCUBRO, OBSERVO Y USO

8 Escucha esta exposición sobre la quinoa y trata de completar la información más importante.

Pista 64

La ...., que es ...., se cultiva en .... desde hace .... **Sin embargo**, en los otros continentes ....

Para los incas tenía un valor sagrado **y, por ello**, ... **aunque** ....

Contiene muchos elementos esenciales para la nutrición: proteínas, hierro, calcio, fósforo y vitaminas, así como aminoácidos, **lo que significa que** ....

La quinoa **no solo** es un alimento, **sino que** .... **Además**, su valor energético es tan grande que ....

9 Transforma estos textos aplicando los conectores del cuadro a los espacios señalados. El texto del ejercicio anterior te puede ayudar.

Conectores
- además
- aunque
- es por ello que
- lo que significa que
- por otra parte
- por tanto
- sin embargo

La quinoa fue prohibida por los conquistadores. ⟷ Esta planta se siguió cultivando en lugares apartados de las zonas indígenas de los Andes.

El mar es una reserva de medicinas, productos químicos, materias primas y alimentos —algas, peces, mariscos—. ⟷ Muchos científicos piensan que puede llegar a ser la principal fuente alimenticia y energética en el siglo XXI.

La Wikipedia es una enciclopedia en la que todo el mundo puede colaborar aportando informaciones. ⟷ Tiene un funcionamiento bastante fácil. ⟷ Se publica en muchísimos idiomas.

El pescado azul es una fuente de proteínas. ⟷ Previene muchas enfermedades. ⟷ Algunas variedades no son caras.

La energía solar y la energía eólica no contaminan. ⟷ Los ciudadanos no las usan todavía de forma masiva.

Los alimentos que llegaron de América sirvieron para solucionar el hambre en Europa en el siglo XVI. ⟷ Se consideran el verdadero oro que llegó del otro lado del Atlántico.

PRACTICO MI VOCABULARIO 5

1 Hay palabras que forman una familia. Tienen distintas formas y pertenecen a diferentes categorías gramaticales, pero sus significados están relacionados. Mira estos ejemplos y, a partir de las frases, trata de imaginar qué significan las palabras que no conoces.

> Buscar y descubrir relaciones entre las palabras te ayudará a comprender el significado de palabras nuevas.

VIVO
Todos los seres **vivos** necesitan agua.

SOBREVIVIR
El accidente fue muy grave pero **sobrevivieron** todos los pasajeros.

VITAL
Óscar es una persona muy **vital**; disfruta de lo que hace y tiene una energía tremenda.

La energía solar es **vital** para nuestro planeta y todos los seres que lo habitan.

SUPERVIVIENTE
Los **supervivientes** del naufragio fueron rescatados por un barco pesquero.

VIDA
Mi abuelo tuvo una **vida** muy dura pero muy interesante.

VIVIR
A mí me gustaría **vivir** 100 años.

VIVERO
Estos pescados los crían en un **vivero** que está aquí cerca.

REVIVIR
No quiero **revivir** una experiencia como aquella. Fue muy desagradable.

2 Elige una de las palabras de abajo y, con la ayuda del diccionario, busca otras emparentadas con ella. Piensa en las relaciones que existen con esta palabra en tu propia lengua. Luego, inventa una frase para cada palabra de la familia, como en el ejercicio anterior.

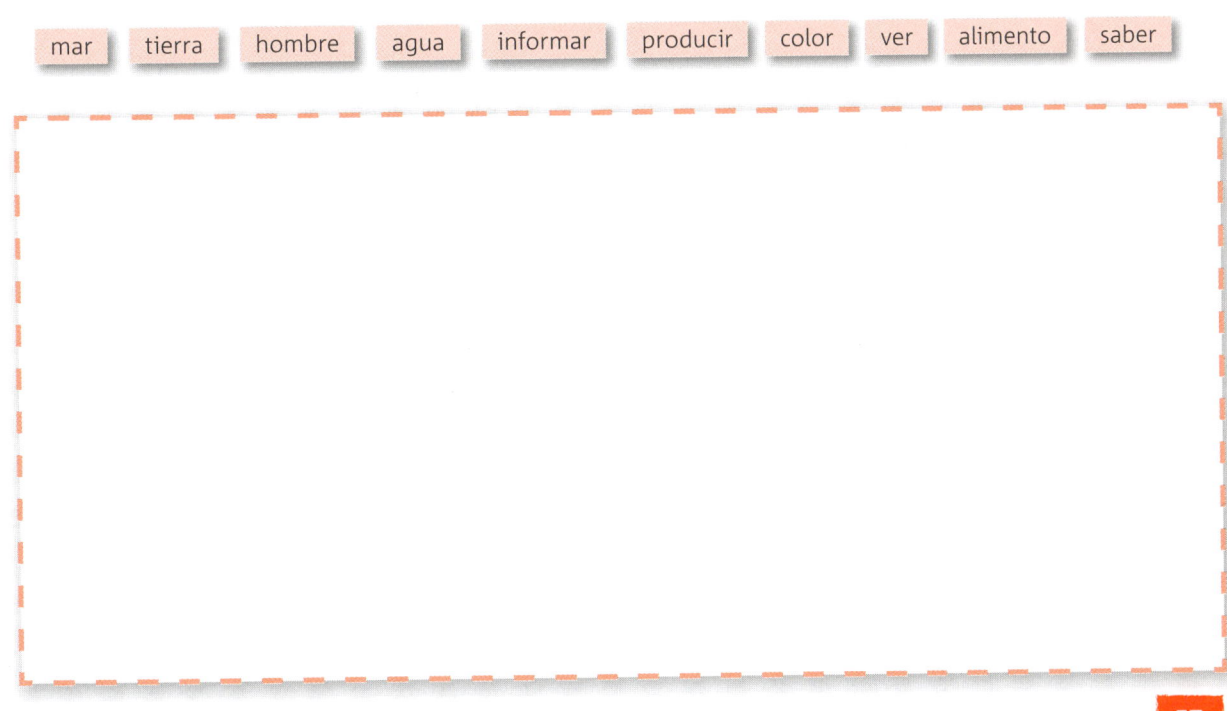

mar   tierra   hombre   agua   informar   producir   color   ver   alimento   saber

5 LEO, ESCRIBO Y ESCUCHO

1 Ordena el texto.

EL AGUA, UN RECURSO ESCASO E IRREGULARMENTE DISTRIBUIDO

A De forma simplificada, se puede decir que en los países enriquecidos el problema del agua afecta sobre todo a la conservación de la naturaleza y a las posibilidades de crecimiento económico mientras que en el sur, según un informe elaborado por UNICEF, alrededor de 4000 niños mueren cada día a raíz de enfermedades provocadas por la falta de agua potable.

B Adicionalmente, la contaminación causada por las industrias, la deforestación y las prácticas del uso del suelo, están reduciendo notablemente la disponibilidad de agua utilizable. En la actualidad, una cuarta parte de la población mundial, es decir 1500 millones de personas, que principalmente viven en países en vías de desarrollo, sufren falta grave de agua limpia. Esto ocasiona que en el mundo haya más de 10 millones de muertes al año a causa de enfermedades relacionadas con el agua.

C La escasez de agua en el planeta se debe al calentamiento global, a la acelerada industrialización de las economías durante el siglo XX, al desmedido crecimiento poblacional, a la expansión no planificada de las ciudades, a la percepción errónea de que el agua es un recurso infinito, por lo tanto sin precio, y a la ineficacia en el suministro y en la asignación del agua entre los usuarios.

D Ante estas circunstancias, muchas regiones del mundo han alcanzado el límite de aprovechamiento del agua, lo que los ha llevado a explotar los recursos hidráulicos superficiales y subterráneos, creando un fuerte impacto en el ambiente.

E El agua, recurso escaso e irregularmente distribuido temporal y espacialmente, es indispensable para cualquier actividad industrial, agrícola o urbana, ya que promueve su desarrollo económico y social. Además es fundamental para la vida del hombre y de todos los ecosistemas.

(Adaptado de: http://www.lacerca.com/noticias/medio_ambiente/el_agua_recurso_escaso-22973-1.html)

1	2	3	4	5
E				

LEO, ESCRIBO Y ESCUCHO 5

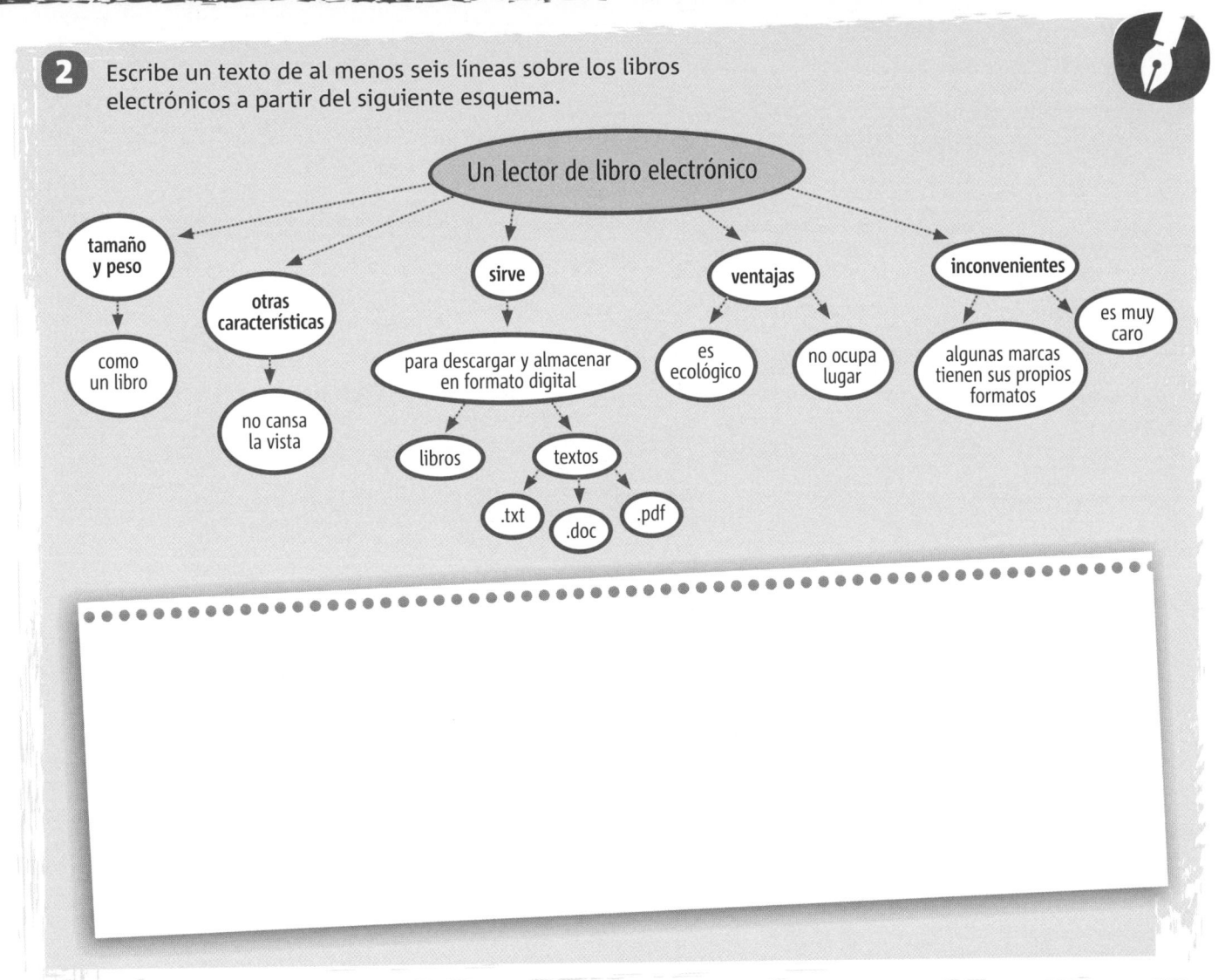

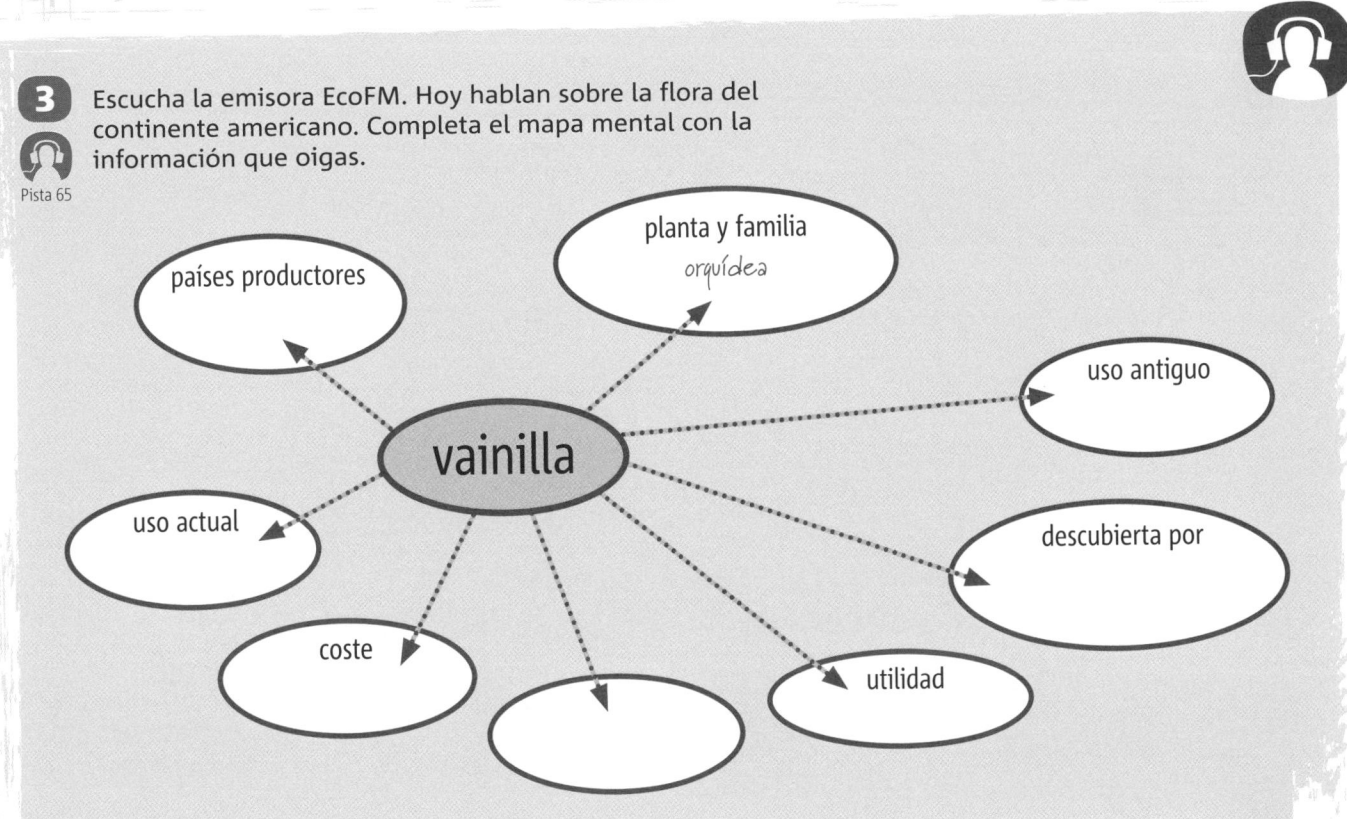

2 Escribe un texto de al menos seis líneas sobre los libros electrónicos a partir del siguiente esquema.

- **Un lector de libro electrónico**
  - tamaño y peso
    - como un libro
  - otras características
    - no cansa la vista
  - sirve
    - para descargar y almacenar en formato digital
      - libros
      - textos
        - .txt
        - .doc
        - .pdf
  - ventajas
    - es ecológico
    - no ocupa lugar
  - inconvenientes
    - algunas marcas tienen sus propios formatos
    - es muy caro

3 Escucha la emisora EcoFM. Hoy hablan sobre la flora del continente americano. Completa el mapa mental con la información que oigas.

Pista 65

- **vainilla**
  - países productores
  - planta y familia: orquídea
  - uso antiguo
  - uso actual
  - coste
  - descubierta por
  - utilidad

cincuenta y nueve **59**

5 YO Y MIS COSAS

1 Contesta esta encuesta con tu información real.

Nombre: _____ Edad: _____

1. ¿Qué tipo de teléfono móvil tienes?

☐ Ninguno ☐ Teléfono básico ☐ 4G ☐ *Smartphone*

2. ¿Cómo accedes a internet normalmente?

☐ A través de tu móvil. ☐ A través de un ordenador de la escuela. ☐ A través de un ordenador en tu casa.

3. Pensando en cada uno de los usos que das a internet, ¿desde dónde accedes con más frecuencia?

	Accedo más a través del móvil.	Accedo más a través de un ordenador.	Accedo indistintamente desde el móvil o el ordenador.
Consulta de noticias / periódicos *online*.			
Acceder a redes sociales (Facebook, Tuenti...).			
Acceder a mensajería instantánea / chatear (Messenger, WhatsApp...).			
Realizar búsquedas sobre temas de mi interés (música, cine, moda...).			
Realizar descargas (juegos, música, tonos...).			
Consulta de mapas / callejeros.			
Compras (entradas, artículos...).			
Ver vídeos (YouTube...).			

4. ¿Cuántas aplicaciones tienes actualmente instaladas en tu móvil? ....

5. ¿Cuántas te has instalado en el último mes? ....

6. En general ¿cómo eliges las aplicaciones que quieres tener?

☐ Las busco personalmente.
☐ Me las recomiendan amigos, conocidos...
☐ No las busco, cuando las veo, me las instalo.
☐ Recomendaciones de las páginas de aplicaciones (tipo Apple Store...).
☐ Otros (especificar) ....

7. De las siguientes categorías ¿de cuáles tienes al menos una aplicación?

☐ Juegos
☐ Entretenimiento (chistes, fondos de pantalla...)
☐ Utilidades (despertador, linterna...)
☐ Redes sociales
☐ Música (emisoras, videoclips...)
☐ Productividad (*office*, agenda...)
☐ Estilo de vida (recetas, tiendas...)

☐ Deportes
☐ Salud, forma física
☐ Noticias
☐ Fotografía
☐ Educación (diccionarios, idiomas...)
☐ Meteorología
☐ Viajes

8. ¿Cuáles son las últimas aplicaciones que te has descargado? ....

9. ¿Cuáles son las aplicaciones que más utilizas? ....

10. ¿Cuáles son las aplicaciones que te has descargado pero que nunca o casi nunca utilizas?
....

unidad 6 — POESÍA ERES TÚ

1 Lee los siguientes poemas. ¿Cuál te gustaría que te hubieran escrito a ti? ¿Cuál dedicarías tú a la persona que quieres? Recuerda que no es necesario entender todo el vocabulario para captar el mensaje de un poema.

POEMA 12

Para mi corazón basta tu pecho,
para tu libertad bastan mis alas.
Desde mi boca llegará hasta el cielo
lo que estaba dormido sobre tu alma.

Es en ti la ilusión de cada día.
Llegas como el rocío a las corolas.
Socavas el horizonte con tu ausencia.
Eternamente en fuga como la ola.

He dicho que cantabas en el viento
como los pinos y como los mástiles.
Como ellos eres alta y taciturna.
Y entristeces de pronto, como un viaje.

Acogedora como un viejo camino.
Te pueblan ecos y voces nostálgicas.
Yo desperté y a veces emigran y huyen
pájaros que dormían en tu alma.

PABLO NERUDA

Mirarte solo en mi ansiedad espero,
solo a mirarte en mi ansiedad aspiro,
y más me muero cuanto más te miro,
y más te miro cuanto más me muero.

El tiempo, pasa por demás ligero,
lloro su raudo, turbulento giro,
y más te quiero cuanto más suspiro,
y más suspiro cuanto más te quiero.

Deja a tu talle encadenar mi brazo,
y, al blando son con que nos brinda el remo,
la mar surquemos en estrecho lazo.

Ni temo al viento ni a las ondas temo,
que más me quemo cuanto más te abrazo,
y más te abrazo cuanto más me quemo.

ROSALÍA DE CASTRO

VICEVERSA

Tengo miedo de verte
necesidad de verte
esperanza de verte
desazones de verte

tengo ganas de hallarte
preocupación de hallarte
certidumbre de hallarte
pobres dudas de hallarte

tengo urgencia de oírte
alegría de oírte
buena suerte de oírte
y temores de oírte

o sea
resumiendo
estoy jodido
y radiante
quizá más lo primero
que lo segundo
y también
viceversa.

MARIO BENEDETTI

LIBRE TE QUIERO

Libre te quiero,
como arroyo que brinca
de peña en peña.
Pero no mía.

Grande te quiero,
como monte preñado
de primavera.
Pero no mía.

Buena te quiero,
como pan que no sabe
su masa buena.
Pero no mía.

Alta te quiero,
como chopo que en el cielo
se despereza.
Pero no mía.

Blanca te quiero,
como flor de azahares
sobre la tierra.
Pero no mía.

Pero no mía
ni de Dios ni de nadie
ni tuya siquiera.

AGUSTÍN GARCÍA CALVO

6 DESCUBRO, OBSERVO Y USO

2 Escucha los poemas "Libre te quiero" y "Poema 12" del ejercicio anterior. ¿A cuál corresponden las siguientes afirmaciones? Puedes volver a leerlos mientras los escuchas.

Pistas 52-53

	POEMA 12	LIBRE TE QUIERO
Se trata de un poema de amor.		
Él le habla a ella.		
Ella le habla a él.		
Los dos se quieren.		
Solo él la quiere a ella.		
Solo ella lo quiere a él.		
Es un poema triste.		
Es un amor no correspondido.		
Uno de los dos sufre.		

3 A. Lee estos poemas y subraya, con un mismo color, las palabras que riman, como en los ejemplos.

CANCIONCILLA DE AMOR A MIS ZAPATOS

Los zapatos en que esp**ero**
el tiempo de mi partida,
tienen dos alas de cu**ero**
para sostener mi vida.

Bajo la suela delgada
siento la tierra que espera.
Entre la vida y la nada
¡qué delgada es la frontera!

RAFAEL MORALES

SI MI VOZ MURIERA EN TIERRA

Si mi voz muriera en ti**erra**
llevadla al nivel del mar
y dejadla en la rib**era**.

Llevadla al nivel del mar
y nombradla capitana
de un blanco bajel de guerra.

¡Oh mi voz condecorada
con la insignia marinera:
sobre el corazón un ancla
y sobre el ancla una estrella
y sobre la estrella el viento
¡y sobre el viento la vela!

RAFAEL ALBERTI

AMOR (fragmento)

Es hielo abrasador, es fuego helado,
es herida que duele y no se siente,
es un soñado bien, un mal presente,
es un breve descanso muy cansado;

es un descuido que nos da cuidado,
un cobarde, con nombre de valiente,
un andar solitario entre la gente,
un amar solamente ser amado;
(...)

FRANCISCO DE QUEVEDO

B. Ahora clasifícalas según el tipo de rima.

RIMA CONSONANTE	RIMA ASONANTE
espero – cuero	tierra – ribera

DESCUBRO, OBSERVO Y USO 6

4 Busca tres palabras que rimen en consonante y otra tres que rimen en asonante con las siguientes palabras.

	RIMA CONSONANTE	RIMA ASONANTE
CORAZÓN	acordeón	dolor
NOCHE		
ESTRELLA		
ABRAZAR		
AMAR		
ENAMORAR		
SUEÑO		
CAMINO		
AMIGA		
AMIGO		
VENTANA		
NUBE		
BARCA		

sesenta y tres

6 DESCUBRO, OBSERVO Y USO

5 **A.** Responde a estas preguntas referentes a algunos poemas que ya has leído en el Libro del alumno.

1. ¿Qué parecen las navajas?
   ....
   ....

2. ¿A qué se parece la herida que tiene en las sienes Juan Antonio el de Montilla?
   ....
   ....
   ....

3. ¿A qué se parece el átomo?
   ....
   ....
   ....

4. ¿A qué se parece el mar?
   ....
   ....
   ....
   ....

En la mitad del barranco
las navajas de Albacete,
bellas de sangre contraria,
relucen como los peces.
Una dura luz de naipe
recorta en el agrio verde,
caballos enfurecidos
y perfiles de jinetes.
En la copa de un olivo
lloran dos viejas mujeres.

El toro de la reyerta
se sube por la paredes.
Ángeles negros traían
pañuelos y agua de nieve.
Ángeles con grandes alas
de navajas de Albacete.
Juan Antonio el de Montilla
rueda muerto la pendiente,
su cuerpo lleno de lirios
y una granada en las sienes.

Pequeñísima estrella, parecías para siempre enterrada en el metal: oculto, tu diabólico fuego.

El mar, el mar y tú, plural espejo, el mar de torso perezoso y lento nadando por el mar, del mar sediento: el mar que muere y nace en un reflejo.

B. Y ahora, al revés, escribe tú las preguntas.

MUCHO MÁS GRAVE
(...) el amor es una bahía linda y generosa
que se ilumina y se oscurece
según venga la vida
una bahía donde los barcos
llegan y se van
llegan con pájaros y augurios
y se van con sirenas y nubarrones
una bahía linda y generosa
donde los barcos llegan
y se van
pero vos
por favor
no te vayas.

MARIO BENEDETTI

ROMANCE DE LA LUNA
(...) Huye luna, luna, luna.
Si vinieran los gitanos,
harían con tu corazón
collares y anillos blancos.

FEDERICO GARCÍA LORCA

5. ....
....
....

Parece una bailarina de trenzas brillantes o estrellas (astros) flotando en el aceite (océano) de la olla.

6. ....
....

Se parece a una bahía muy hermosa con barcos que llegan y se van.

7. ....
....

Parece una joya de oro blanco.

ODA al AJO

Bailarina de trenzas brillantinas,
eterna resonancia del baile de los dientes.
Sabor telúrico de una sopa deseada.
Alegría humilde de una mesa pobre.
Invitado de honor en un banquete de alcurnia.
Esperanza que se come en ayunas.
Desfile de damas blancas
pasando por una eterna retina.
Delantales desprendidos de la desnudez de la tierra.
Astros flotando en el océano de la olla.

MARIO ANDRÉS DÍAZ MOLINA

DESCUBRO, OBSERVO Y USO 6

6 Busca en estas poesías cuál es la sílaba tónica de las palabras en negrita y subráyala. Luego, clasifícalas según sean agudas, llanas o esdrújulas.

PARA MI CORAZÓN basta tu **pecho**,
para tu **libertad** bastan mis **alas**.
Desde mi **boca llegará** hasta el **cielo**
lo que **estaba dormido** sobre tu **alma**.
(...)
PABLO NERUDA

Yo voy **soñando caminos**
de la **tarde**. ¡Las **colina**s
doradas, los **verdes pinos**,
las **polvorientas encinas**!...
¿**Adónde** el camino **irá**?
  Yo voy **cantando**, **viajero**,
a lo largo del **sendero**...
—La tarde, **cayendo está**—.
  "En el corazón **tenía**
la **espina** de una **pasión**;
logré **arrancármela** un **día**:
ya no **siento** el corazón."
(...)
ANTONIO MACHADO

Si el **hambre** es **buena**,
un **mendrugo** de pan
¿para qué más?
Si la **playa** es buena,
¿para qué **navegar**?
¿para qué más?
Si la **amistad** te **llena**,
¿para qué **buscar**?
¿para qué más?
Si el **amor** es AMOR,
loco es quien no **dice**:
¿para qué más?
(...)
GLORIA FUERTES

AGUDAS	LLANAS	ESDRÚJULAS

7 Lee el siguiente poema y pon una tilde en las palabras que lo necesiten.

SUDOR Y LATIGO

Latigo,
sudor y latigo.

El sol desperto temprano,
y encontro al negro descalzo,
desnudo sobre el cuerpo llagado,
sobre el campo.

Latigo,
sudor y latigo.

El viento paso gritando:
—¡Que flor negra en cada mano!
La sangre le dijo: ¡vamos!
El dijo a la sangre: ¡vamos!

Partio en su sangre, descalzo.
El cañaveral, temblando,
le abrio paso.

Despues, el cielo callado,
y bajo el cielo, el esclavo
tinto en la sangre del amo.

Latigo,
sudor y latigo,
tinto en la sangre del amo;
latigo,
sudor y latigo,
tinto en la sangre del amo
tinto en la sangre del amo.

NICOLÁS GUILLÉN

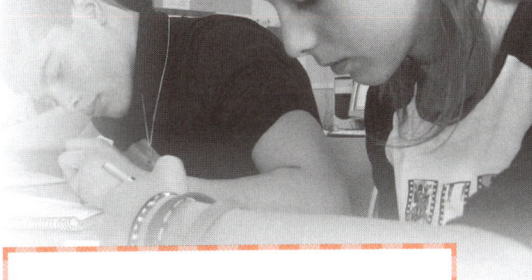

LOS PAJAROS NO TIENEN DIENTES

Los pajaros no tienen dientes,
con el pico se apañan.
Los pajaros pescan peces
sin red ni caña.
Los pajaros, como los angeles,
tienen alas.
Los pajaros son artistas
cuando cantan.
Los pajaros colorean el aire
por la mañana.
Por la noche
son masicos dormidos
en las ramas.
Da pena ver a un pajaro en la jaula.

GLORIA FUERTES

6 PRACTICO MI VOCABULARIO

1 Hay palabras que forman una familia. Tienen distintas formas y pertenecen a diferentes categorías gramaticales, pero sus significados están relacionados. Mira estos ejemplos y, a partir de las frases, trata de imaginar qué significan las palabras que no conoces.

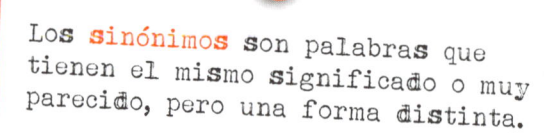

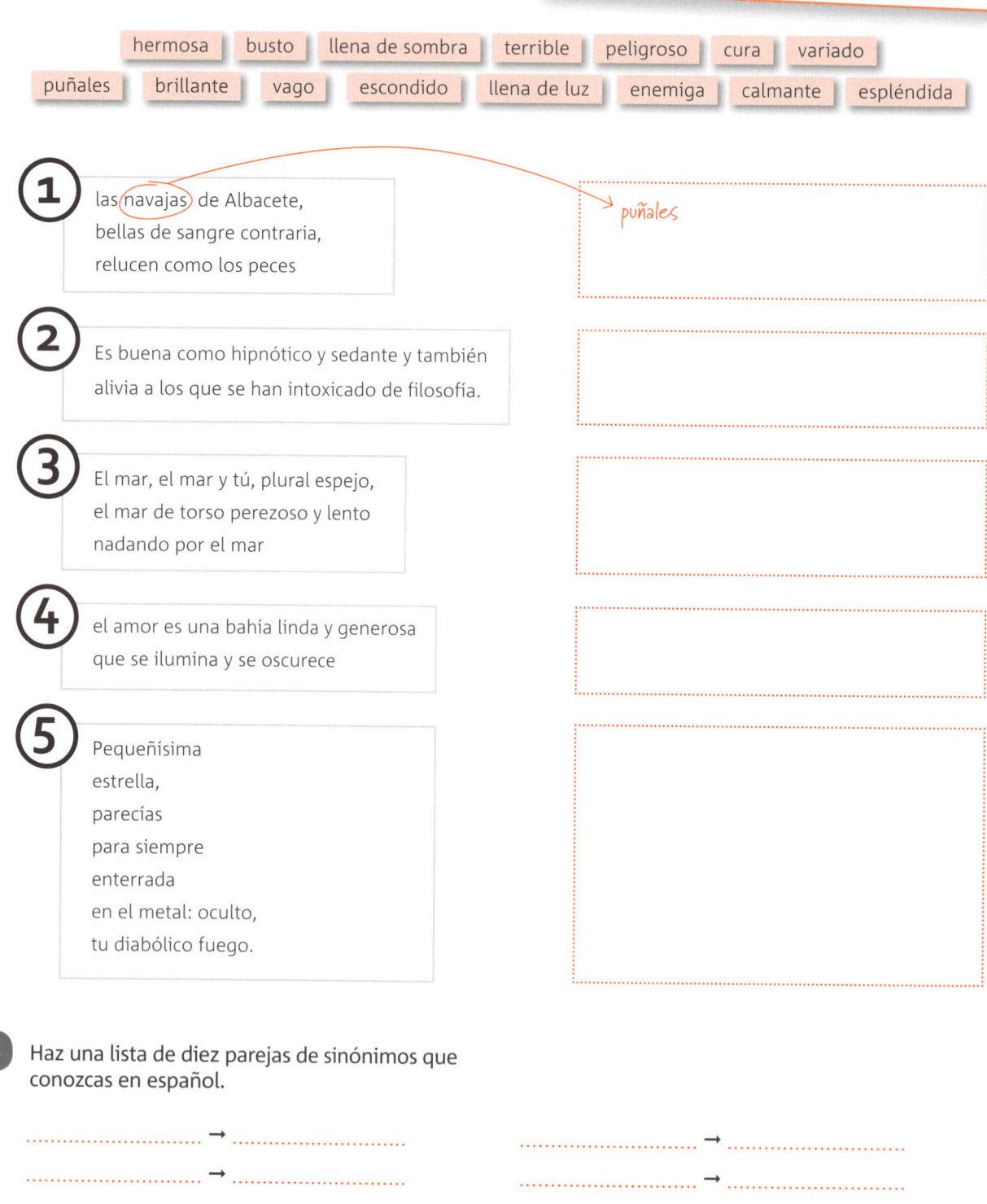

> Los **sinónimos** son palabras que tienen el mismo significado o muy parecido, pero una forma distinta.

hermosa · busto · llena de sombra · terrible · peligroso · cura · variado
puñales · brillante · vago · escondido · llena de luz · enemiga · calmante · espléndida

① las navajas de Albacete,
bellas de sangre contraria,
relucen como los peces

→ puñales

② Es buena como hipnótico y sedante y también alivia a los que se han intoxicado de filosofía.

③ El mar, el mar y tú, plural espejo,
el mar de torso perezoso y lento
nadando por el mar

④ el amor es una bahía linda y generosa
que se ilumina y se oscurece

⑤ Pequeñísima
estrella,
parecías
para siempre
enterrada
en el metal: oculto,
tu diabólico fuego.

2 Haz una lista de diez parejas de sinónimos que conozcas en español.

.... → .... → ....
.... → .... → ....
.... → .... → ....
.... → .... → ....
.... → .... → ....

LEO, ESCRIBO Y ESCUCHO 6

1 Lee este artículo y responde a las preguntas.

POESÍA e IMAGEN

La poesía es la expresión de una emoción con palabras. En un intento de dar mayor expresividad a la poesía surgieron algunas corrientes poéticas que integran elementos verbales y elementos gráficos. Según tenga mayor importancia el texto o la imagen, podemos hablar de tres tipos de poemas.

CALIGRAMAS

Un **caligrama** es un poema en el que las palabras dibujan un personaje, un paisaje o cualquier objeto relacionado con el texto del propio poema. La palabra caligrama es un galicismo; es decir, que viene del francés, de la palabra *calligramme*. Esta, a su vez, es una palabra formada por otras dos: *calligraphie* (caligrafía[1]) e *idéogramme* (ideograma[2]).

El caligrama es una técnica poética muy antigua, ya utlizada por los hindúes y los griegos, pero fue Guillaume Apollinaire, poeta francés de principios del siglo XX, quien la puso de moda en Europa. Entre los poetas de caligramas en lengua española destacan el mexicano Juan José Tablada, el cubano Guillermo Cabrera Infante y el argentino Oliverio Girondo.

POEMAS VISUALES

En un **poema visual** el texto tiene tanta importancia como la imagen. Las palabras no dibujan objetos, sino que imágenes y palabras se funden en un solo mensaje. Entre los numerosos poetas contemporáneos que practican este arte hemos de señalar las obras del poeta uruguayo Julio Campal y los españoles Julia Otxoa, Fernando Millán y Juan José Ullán.

POEMAS OBJETO

Otra manifestación de poesía experimental la constituyen los **poemas objeto**, composiciones que no se hacen sobre papel, sino con objetos. En realidad, son como pequeñas esculturas, ya que combinan recursos de la poesía y de las artes plásticas. Alguien los ha definido como la tercera dimensión de la poesía. El poeta español Joan Brossa es uno de sus máximos representantes. Otro artista reconocido es el venezolano Franklin Fernández.

(1) Caligrafía (del griego *kallós* (belleza) y *graphé* (escritura) es el arte de escribir con letra hermosa y clara.
(2) Ideograma es la representación gráfica de una idea. La escritura de algunas lenguas, por ejemplo del chino y del japonés, está basada en ideogramas, es decir, que determinados símbolos representan palabras e ideas completas.

¿Conoces caligramas y autores de caligramas en tu lengua? ¿Cuáles? ....

¿Y en otras lenguas? ....

¿Has visto alguna vez algún poema visual o un poema objeto? ¿Dónde? ¿Cuándo? ....

6 LEO, ESCRIBO Y ESCUCHO

2 Pon los títulos que corresponden a cada obra e inventa un título para la que no tiene. Después, haz una breve descripción de cada obra.

> Teoría del conocimiento

> Homenaje al libro

> El puñal

Tu primera mirada
tu primera
mirada de pasión

Aún la siento clavada
como un puñal dentro del corazón.

JOAN BROSSA

JUAN JOSÉ TABLADA

FRANKLIN FERNÁNDEZ

NÚRIA L. RIBALTA

68 sesenta y ocho

LEO, ESCRIBO Y ESCUCHO 6

3 Escucha el poema e intenta completarlo sin mirar las palabras proporcionadas abajo. Después de la audición, completa los huecos que te hayan quedado con alguna de esas palabras. Por último, vuelve a escuchar el poema y comprueba tus respuestas.

Pista 66

.... DE PALABRAS

La .... olvida.
La mente ....
El .... enseña.
La .... hiere.

Las .... dan las horas.
Los .... dicen dioses.
Los .... siembran mieses.
Los .... hacen daños.
Los siglos de los siglos
prosiguen sigilosos.

Los pies no ....
Las huellas huelen.
Las calles ....
La .... muere.

JUAN VICENTE PIQUERAS
Yo que tú

| años | días | callan | herida | jugo | piensan |
| meses | miente | muerte | olas | sueño | vida |

6 YO Y MIS COSAS

1 Dibuja un caligrama. Para hacerlo, sigue las instrucciones.

Érase una vez
mi perro
Es un poco bajo
pero largo
Extremadamente largo
Es algo travieso
pero bueno
¡Tan bueno!
Es algo ruidoso
pero alegre
¡Y tan juguetón!
Érase una vez
un perro increíble
Sabe ser androide
pirata o vampiro
Porque siempre juega a lo que juego yo

SOL SILVESTRE

INSTRUCCIONES PARA HACER UN CALIGRAMA

Elige un poema o un fragmento de poema que te guste.

Piensa en la imagen, o imágenes, que este poema te sugiera.

+ Dibuja a lápiz la imagen o imágenes elegidas.

+ Copia el fragmento siguiendo el contorno del dibujo a lápiz o rellenando el perfil de modo que las palabras no sobrepasen los bordes del dibujo.

+ Borra los trazos del lápiz de manera que solo se vean las palabras del poema.

+ Puedes colorear las palabras o añadir otras imágenes para dar mayor expresividad a la imagen.

APRENDO LENGUAS

1 **A.** Mira la siguiente lista durante 40 segundos. Luego tápala y trata de recordar el máximo de palabras. ¿Cuántas recuerdas?

cama	estantería	mesa
armario	cuadro	frigorífico
sillón	jarrón	alfombra
lámpara	ventana	puerta

B. Ahora, haz lo mismo con esta otra lista.

peluca	chándal	corbata
gorra	cazadora	bastón
cartera	bolso	traje
chancletas	collar	minifalda

Para recordar mejor una palabra, puedes...

vaqueros

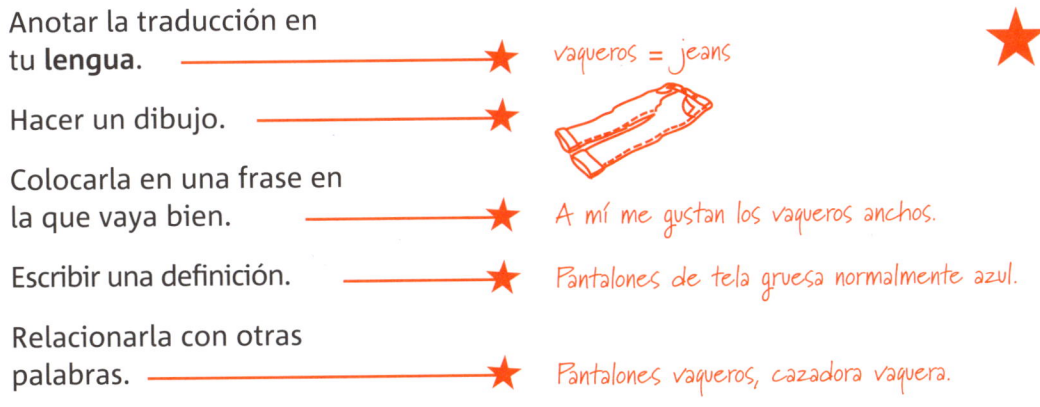

- Anotar la traducción en tu **lengua**. ★ vaqueros = jeans
- Hacer un dibujo. ★
- Colocarla en una frase en la que vaya bien. ★ A mí me gustan los vaqueros anchos.
- Escribir una definición. ★ Pantalones de tela gruesa normalmente azul.
- Relacionarla con otras palabras. ★ Pantalones vaqueros, cazadora vaquera.

C. ¿Has recordado más palabras con estos trucos? ¿Qué truco te va mejor para recordar vocabulario?

setenta y uno

APRENDO LENGUAS

2 A. En un programa de la tele se ha organizado un debate sobre los problemas más graves de nuestro planeta y su futuro. Se han dicho las siguientes cosas. Subraya los verbos de las frases subordinadas y observa si están en indicativo o en subjuntivo.

> Yo pienso que el agua va a ser el problema más grave en un futuro próximo.

> Yo opino que pronto podremos dejar de consumir petróleo y eso solucionará muchos problemas.

> Según mi opinión, la educación es muy importante para que el mundo sea más justo y para que haya menos guerras.

> Es indispensable que las diferentes culturas dialoguen.

> Yo creo que el cambio climático ya ha llegado.

> A mí me parece que lo primero que debemos hacer es solucionar la pobreza extrema de algunos países.

> No es normal que tan pocos tengan tanto.

> Es injusto que los recursos naturales de los países menos desarrollados los controlen los más ricos.

> Es un desastre que sigamos contaminando y vaciando los mares.

B. Formular las propias reglas sobre estructuras gramaticales te ayuda a aprender mejor. Escribe primero tus reglas (puedes hacerlo en tu propio idioma) y luego traduce estas frases a tu lengua o a otra que conozcas.

En las frases subordinadas aparece el **subjuntivo** cuando en la frase principal...

En las frases subordinadas aparece el **indicativo** cuando en la frase principal...

APRENDO LENGUAS

3 Conocer tu mejor manera de aprender una lengua te puede ayudar mucho. ¿Por qué no reflexionas sobre tus hábitos? Añade tres puntos más que son importantes para ti.

	Sí que lo hago	Todavía tengo que trabajar esto
1. Acepto que para aprender una lengua hay que cometer errores y aprendo de ellos.		
2. Entiendo que para aprender una lengua hay que participar en clase.		
3. Soy consciente de que trabajar en grupos con los compañeros me ayuda a aprender más.		
4. Sé que es importante trabajar en casa con los deberes u organizando los materiales y las notas.		
5. Conozco muchas aplicaciones y páginas web de español donde escucho, leo y busco información.		
6. Utilizo de forma independiente los libros y los anexos de gramática y léxico.		
7. Me gusta cuando el profesor nos da proyectos para trabajar.		
8.		
9.		
10.		

setenta y tres

APRENDO LENGUAS

4 **A.** Rellena con las informaciones que faltan. Al final, añade un cuento.

MI DICCIONARIO DE LOS CUENTOS

	TÍTULO EN MI LENGUA	TÍTULO EN OTRA LENGUA	TÍTULO EN OTRA LENGUA
CENICIENTA			
LA BELLA DURMIENTE			
PINOCHO			
EL FLAUTISTA DE HAMELÍN			

B. Fórmulas para empezar y para terminar un cuento

MI DICCIONARIO DE LOS CUENTOS

	EN MI LENGUA	EN ESPAÑOL	EN OTRA LENGUA	EN OTRA LENGUA
PARA EMPEZAR		Érase una vez…		
PARA TERMINAR		Y así fue como…		

APRENDO LENGUAS

5 **A.** Deduce el significado de las siguientes expresiones en español.

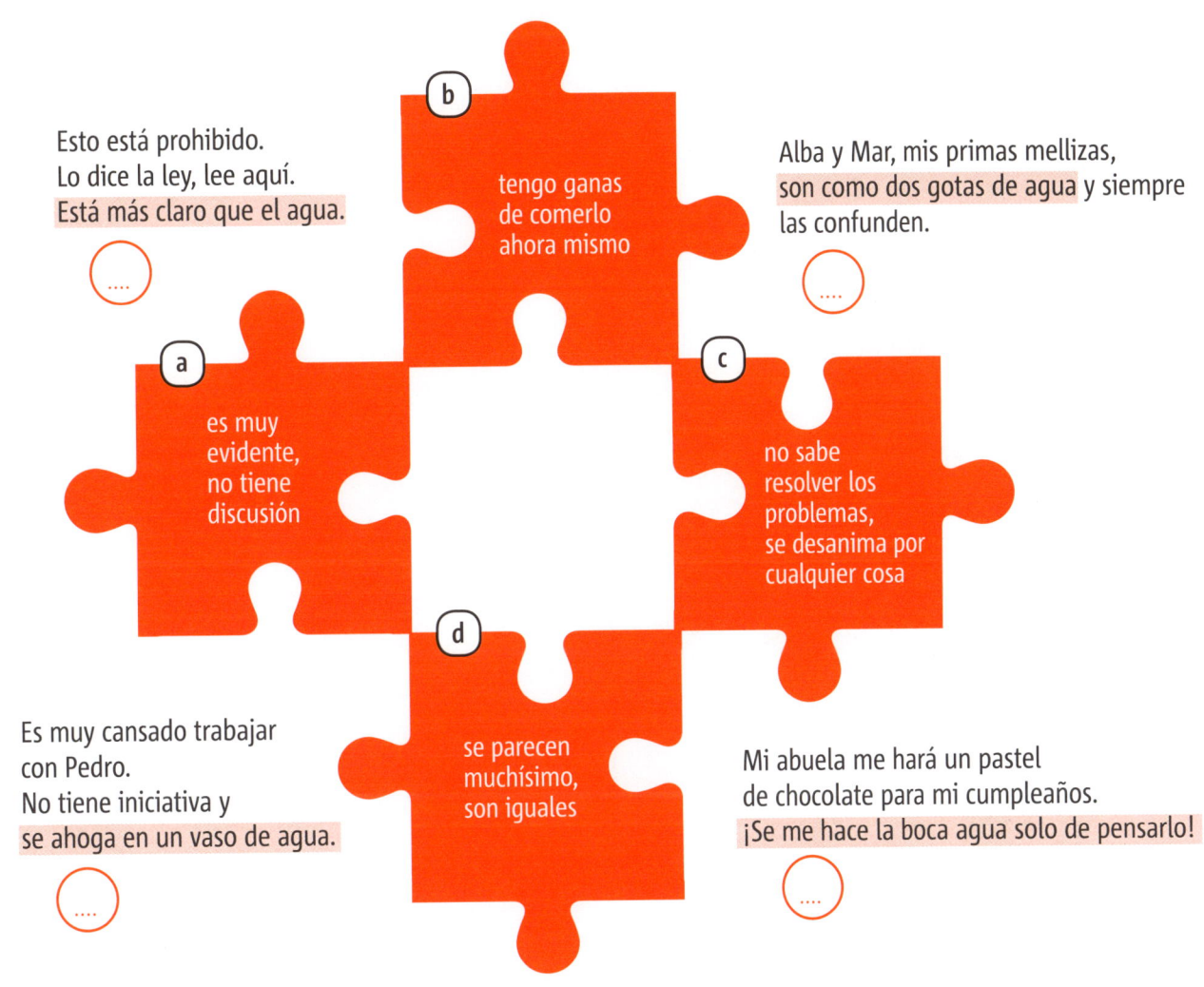

Esto está prohibido.
Lo dice la ley, lee aquí.
Está más claro que el agua.

(....)

b tengo ganas de comerlo ahora mismo

Alba y Mar, mis primas mellizas, **son como dos gotas de agua** y siempre las confunden.

(....)

a es muy evidente, no tiene discusión

c no sabe resolver los problemas, se desanima por cualquier cosa

d se parecen muchísimo, son iguales

Es muy cansado trabajar con Pedro.
No tiene iniciativa y **se ahoga en un vaso de agua.**

(....)

Mi abuela me hará un pastel de chocolate para mi cumpleaños.
¡**Se me hace la boca agua** solo de pensarlo!

(....)

B. ¿Cómo se dicen estas expresiones en tu lengua?

1. Estar más claro que el agua: ....
2. Ser como dos gotas de agua: ....
3. Ahogarse en un vaso de agua: ....
4. Hacerse (a uno) la boca agua: ....

C. ¿Y en las otras lenguas que conoces?

APRENDO LENGUAS

6 Copia, ilustra y traduce al español un poema corto de tu lengua y otro de otra lengua que conozcas bien.

APRENDO LENGUAS

7 Elige 20 palabras que hayas aprendido en cada unidad. Después, escribe la traducción a tu idioma al lado de cada palabra.

¿QUIÉN TIENE RAZÓN?		NUESTRO MUNDO	
UNIDAD 1		UNIDAD 2	
ESPAÑOL	TU IDIOMA	ESPAÑOL	TU IDIOMA

APRENDO LENGUAS

SE BUSCAN CANDIDATOS			CUÉNTAME UN CUENTO	
UNIDAD 3			UNIDAD 4	
ESPAÑOL	TU IDIOMA		ESPAÑOL	TU IDIOMA

APRENDO LENGUAS

HABLAR BIEN, ESCRIBIR BIEN		POESÍA ERES TÚ	
UNIDAD 5		UNIDAD 6	
ESPAÑOL	TU IDIOMA	ESPAÑOL	TU IDIOMA